POWERPOINT
2003
POUR
LES NULS

POWERPOINT 2003 POUR LES NULS

Doug Lowe

PowerPoint 2003 pour les Nuls

Titre de l'édition originale : PowerPoint 2003 For Dummies
Publié par Wiley Publishing, Inc.
111 River Street
Hoboken, NJ 07030-5774
USA

Copyright © 2003 Wiley Publishing, Inc.

Pour les Nuls est une marque déposée de Wiley Publishing, Inc.
For Dummies est une marque déposée de Wiley Publishing, Inc.

Edition française publiée en accord avec Wiley Publishing, Inc.
© 2004 Éditions First Interactive
27, rue Cassette
75006 Paris - France
Tél. 01 45 49 60 00
Fax 01 45 49 60 01
E-mail : firstinfo@efirst.com
Web : www.efirst.com
ISBN : 2-84427-593-1
Dépôt légal : 2ᵉ trimestre 2004

Collection dirigée par Jean-Pierre Cano
Edition : Pierre Chauvot
Maquette et mise en page : Edouard Chauvot

Imprimé en France

Sommaire

Introduction

· ·

*B*ienvenue dans *PowerPoint 2003 pour les Nuls*, le livre écrit pour tous ceux qui sont obligés d'utiliser cette application sans vouloir devenir des maîtres en la matière.

Vous êtes-vous déjà retrouvé devant une assemblée assoupie à qui vous essayez de faire comprendre l'importance des représentations graphiques, des tableaux et autres éléments soporifiques que vous projetez sur un écran via des transparents ? N'avez-vous jamais perdu un après-midi dans un aéroport à cause d'une météo incertaine qui empêche votre avion de décoller et qui vous prive d'une réunion importante où vous deviez faire état de vos talents à travers une présentation qui vous a servi de multiples fois par le passé ? Si "oui", et sans doute si "non", vous avez *réellement* besoin de PowerPoint !

Quelles que soient les circonstances qui ont mis PowerPoint entre vos mains, vous disposez désormais d'un ouvrage indispensable à son apprentissage.

Ce livre traite de PowerPoint dans un langage de tous les jours. Pas de prose inutile. Je n'ai pas l'intention de gagner le Pulitzer. Mon objectif est de rendre supportable des notions qui pourraient vous sembler intolérables, et peut-être même vous donner du plaisir à utiliser PowerPoint.

A propos de ce livre

Pas question de trouver ici des termes techniques totalement obscurs qui détaillent des procédures incompréhensibles. Mon propos se concentre sur des informations pratiques nécessaires à une bonne conception de présentations. Au cours des vingt-deux chapitres qui jalonnent cet ouvrage, vous découvrirez des aspects spécifiques de PowerPoint comme l'impression, la modification des couleurs ou encore l'utilisation des cliparts.

Chaque chapitre est divisé en sections qui traitent chacune d'un thème majeur.

Par exemple, le chapitre consacré aux cliparts présente les sections suivantes :

- Insérer des cliparts.

- Déplacer, redimensionner et étirer des images.

- Encadrer et ombrer une image.

- Modifier un clipart.

- Télécharger un clipart depuis Internet.

N'apprenez rien par cœur ! Contentez-vous de lire les chapitres qui répondent aux questions immédiates que vous vous posez. Vous ne vous posez pas de questions ? Parfait ! Soyez heureux dans votre vie si limpide !

Comment utiliser ce livre

Ce livre est une référence. Commencez par lire le sujet qui vous intéresse dans le but d'en savoir davantage. Pour cela, il suffit de jeter un œil sur le sommaire ou l'index. Le premier nommé satisfait généralement votre curiosité, car vous y retrouvez les titres des chapitres et des sections qui le composent. En cas de recherches infructueuses, reportez-vous à l'index.

Ce livre est rempli d'informations sans pour autant freiner les brèves incursions sur un sujet particulier. Lisez le chapitre qui traite de vos préoccupations. Si vous souhaitez tout savoir sur les jeux de couleurs, lisez le chapitre qui s'y rapporte. C'est *votre* livre, pas le mien.

Dans certaines circonstances, ce livre vous invite à utiliser des raccourcis clavier pour exécuter plus rapidement certaines tâches. Ainsi, lorsque vous lisez Ctrl+Z, maintenez enfoncée la touche Ctrl de votre clavier et appuyez sur la touche Z. Relâchez les deux touches simultanément. N'utilisez pas le signe plus.

Parfois, je vous demande d'utiliser une commande d'un menu de la manière suivante : Fichier/Ouvrir. Cela indique que vous pouvez utiliser le clavier ou la souris pour ouvrir le menu Fichier et y choisir la commande Ouvrir.

Chaque fois que je décris un message ou des informations qui apparaissent à l'écran, je les présente sous la forme suivante :

```
Avez-vous pris du plaisir à travailler aujourd'hui ?
```

Tout ce que vous devez saisir au clavier est indiqué en gras : saisir **a:setup** dans la boîte de dialogue Parcourir invite à saisir exactement ce qui est écrit, avec ou sans espace.

Présupposés

Je présume que vous possédez un ordinateur, Windows, et utilisez ou pensez utiliser PowerPoint 2003. Rien d'autre ! Je ne présume surtout pas que vous êtes un maître ès informatique qui sait changer une carte contrôleur ou configurer la mémoire de son ordinateur. Ce genre de choses ravit les amoureux de la technique. Heureusement, nous allons parler un langage que tout le monde comprend.

Organisation de ce livre

Ce livre contient des chapitres qui sont dispensés dans quatre parties. Chaque chapitre est scindé en sections qui couvrent tous les aspects indispensables de PowerPoint. Les chapitres répondent donc à une séquence logique qui donne un sens et une progression à votre lecture et, par conséquent, à vos connaissances progressivement acquises. Malgré cela, il n'est pas nécessaire de lire l'ouvrage de la première à la dernière

PowerPoint 2003 pour les nuls

page. Parcourez-le et arrêtez-vous sur le sujet qui vous intéresse.

Voici un aperçu des quatre parties qui vous attendent :

Première partie : Les bases du travail dans PowerPoint 2003

Ici, vous réviserez ou découvrirez les fonctions élémentaires
de PowerPoint. C'est un lieu idéal pour faire ses premiers pas.

Deuxième partie : De superbes diapositives

Les chapitres de cette partie montrent comment améliorer vos
présentations. Le plus important ici est de lire les chapitres qui
traitent des modèles. Les modèles et les assistants sont deux
fonctions de PowerPoint qui gèrent l'aspect général d'une
présentation. Respectez le modèle et chaque chose trouvera
naturellement sa place dans votre présentation.

Troisième partie : Quand PowerPoint va plus loin

Les chapitres de cette partie montrent comment donner du
tonus, de la pertinence à vos présentations avec des cliparts,
des graphiques, des dessins, des organigrammes et d'autres
éléments réjouissants.

Quatrième partie : Les dix commandements

Traditionnelle partie de la collection *pour les Nuls*, vous y
trouverez des trucs, des astuces, des conseils, pour travailler
plus rapidement et plus facilement avec PowerPoint 2003. Vous
y découvrirez dix conseils pour créer des diapositives lisibles,
dix problèmes courants et les remèdes appropriés, dix trucs
pour maintenir l'attention de l'auditoire, et mes préférés : dix
choses qu'on n'a pas pu mettre ailleurs.

Les icônes de ce livre

En lisant ce livre, vous serez confronté à des icônes. Elles
apparaissent dans la marge pour attirer votre attention sur un
point particulier. En voici un rapide tour d'horizon :

Voici une astuce qui vous permettra de gagner du temps dans
PowerPoint.

Cette icône ne veut pas dire que votre ordinateur risque
d'exploser. Elle attire votre attention sur un danger potentiel. À
lire impérativement !

Cette icône met le doigt sur un point spécifique qu'il est
judicieux de retenir.

Première partie
Les bases du travail avec PowerPoint 2003

Dans cette partie...

L'ordinateur et PowerPoint 2003 font entrer les *présentations* dans un univers où régnaient en maître les tableaux, les feuilles de papier et les marqueurs. Aujourd'hui, tout se crée et se diffuse depuis nos extraordinaires machines.

Les chapitres de cette partie sont une introduction à PowerPoint 2003. Vous y apprenez ce qu'il est réellement et comment l'utiliser pour créer des présentations simples. Les fonctions avancées du logiciel sont traitées dans les parties suivantes de l'ouvrage. Si vous débutez dans PowerPoint, lisez impérativement ces chapitres.

Chapitre 1

Cérémonies d'ouverture

- -

Dans ce chapitre :

▶ Présentation de PowerPoint.

▶ Démarrer PowerPoint.

▶ L'aide des assistants.

▶ A quoi servent tous ces éléments (donner un sens à l'écran de PowerPoint).

▶ Afficher une diapositive.

▶ Modifier du texte.

▶ Se déplacer de diapositive en diapositive.

▶ Ajouter une nouvelle diapositive.

▶ Imprimer votre œuvre.

▶ Enregistrer et fermer votre travail.

▶ Retrouver une présentation sur un disque.

▶ Quitter PowerPoint.

- -

C e chapitre est un gala d'ouverture, une cérémonie de bienvenue dans PowerPoint. C'est un peu comme la cérémonie d'ouverture des jeux Olympiques, dans laquelle tous les athlètes défilent en tournant sur la piste de leurs futurs exploits. Vous découvrez des drapeaux et des gens célèbres dont, pourtant, vous n'avez jamais entendu parler. Ici, la parade est composée de toutes les fonctions de PowerPoint, pour lesquelles je me permettrai même de faire un petit discours.

Qu'est-ce que PowerPoint ?

PowerPoint est un programme livré avec la suite Microsoft Office. La majorité des utilisateurs achètent Office, car ils réalisent une bonne affaire : ils disposent du célèbre logiciel de traitement de texte Word et du fameux tableur Excel, qui coûteraient bien plus cher achetés séparément. En bonus, Microsoft offre : Outlook, Access, PowerPoint et FrontPage.

Si vous avez déjà réalisé des présentations sur transparents que l'on projette sur un écran, vous allez adorer PowerPoint. En quelques clics de souris, vous créerez des présentations qui séduiront une audience tout acquise à votre cause.

Voici quelques utilisations possibles de PowerPoint :

- **Présentations commerciales :** PowerPoint fait gagner du temps à tous ceux qui doivent créer des présentations commerciales qui seront diffusées devant des centaines de personnes, un groupe d'acheteurs ou l'équipe de quatre personnes qui travaillent dans le même bureau que vous.

- **Moniteur informatique :** L'écran de votre portable est idéal pour afficher des présentations à une ou deux personnes.

- **Projecteur informatique :** PowerPoint est idéal pour les conférenciers qui souhaitent souligner leurs propos avec des diapositives diffusées au-dessus de leur tête.

- **Pages Web :** Vous pouvez créer une présentation qui sera diffusée sur le Web grâce aux nouvelles fonctions spécifiques de PowerPoint.

- **Diapositives 35 mm :** Votre présentation peut être transcrite sur des diapositives 35 mm que vous diffuserez par la bonne vieille méthode du projecteur à tiroir !

Les fichiers des présentations

Les présentations PowerPoint portent l'extension de fichier .ppt à la fin de leur nom. Par exemple, Conférence.ppt,

`Histoire du jour`.ppt sont des noms de fichiers PowerPoint valides. Lorsque vous saisissez un nom de fichier pour une présentation PowerPoint, inutile de saisir l'extension `.ppt`. PowerPoint l'ajoute à votre place. Il arrive souvent que PowerPoint masque les extensions de fichiers affichant ainsi `Conférence.ppt` sous la forme `Conférence`.

PowerPoint est paramétré par défaut pour enregistrer vos présentations dans le dossier Mes Documents. Sachez que vous pouvez stocker les fichiers PowerPoint dans n'importe quel dossier de votre disque dur. Vous pouvez même l'enregistrer sur disquettes pour l'emmener partout, et la diffuser sur un autre ordinateur (avec quelques restrictions que nous verrons plus tard). PowerPoint est semblable à un logiciel de traitement de texte comme Word. La seule différence est qu'il crée des *présentations* plutôt que des *documents*. Une présentation PowerPoint contient des *diapositives* que l'on peut apparenter aux *pages* d'un document Word. Chaque diapositive contient du texte, des graphiques et d'autres informations. Vous pouvez réorganiser les diapositives de la présentation, en supprimer, en ajouter, et modifier le contenu de celles qui sont déjà en place.

Qu'est-ce qu'une diapositive ?

Les présentations PowerPoint sont composées de plusieurs diapositives. Chaque diapositive peut contenir du texte, des graphiques et de nombreux autres éléments. Des fonctions de PowerPoint travaillent ensemble pour vous permettent de formater facilement des diapositives attrayantes, comme cela est décrit dans les paragraphes suivants :

✔ **Mise en page des diapositives :** Chaque diapositive dispose d'une mise en page qui contrôle l'organisation de l'information. Une *mise en page de diapositive* est une collection d'un ou de plusieurs espaces réservés (marques de réserve) qui reposent dans la zone d'affichage de la diapositive pour conserver l'information. En fonction du type de mise en page choisi, les espaces réservés peuvent contenir du texte, des graphiques, des cliparts, du son, des fichiers vidéo, des tableaux, des représentations graphiques, des diagrammes et d'autres sortes de contenus.

✔ **Arrière-plan :** Chaque diapositive dispose d'un arrière-plan sur lequel repose le contenu. L'arrière-plan peut être une couleur unie, un mélange de deux couleurs, une texture comme du marbre ou du parchemin, un motif telles des lignes diagonales, des briques ou des mosaïques, ou encore une image. Chaque diapositive peut avoir son propre arrière-plan. Cependant, pour une raison de cohérence, il est préférable d'utiliser le même arrière-plan pour toutes les diapositives d'une même présentation.

✔ **Jeu de couleurs :** PowerPoint dispose de jeux de couleurs prédéfinis qui permettent de créer des présentations attractives.

✔ **Masque des diapositives :** Le Masque des diapositives contrôle la conception de base et les options de mise en forme des diapos dans votre présentation. Le Masque des diapositives inclut la position et la taille du titre, ainsi que les espaces réservés de texte, l'arrière-plan et le jeu de couleurs utilisés pour la présentation, les types de polices, les couleurs et les tailles. En plus, le Masque des diapositives peut contenir des graphiques et des objets textuels qui doivent apparaître sur chaque diapo.

Vous pouvez modifier le Masque des diapositives pour changer en une seule opération l'apparence de toutes les diapositives de votre présentation, et assurer ainsi à cette dernière une cohérence visuelle.

✔ **Modèle de conception :** Un *modèle de conception* n'est rien d'autre qu'un fichier de présentation qui contient un Masque de diapositives prédéfini que vous pouvez utiliser pour créer une présentation dont l'aspect sera résolument professionnel. Lorsque vous créez une nouvelle présentation, appuyez-vous sur un modèle fourni par PowerPoint. Il sera toujours possible de lui apporter des modifications par la suite, afin qu'elle ressemble exactement à ce que vous vouliez développer.

Toutes les fonctions décrites dans les précédents paragraphes permettent de contrôler l'aspect de vos diapositives comme une feuille de style et les modèles contrôlent l'apparence des documents Word. Vous pouvez personnaliser l'aspect de chaque diapositive en ajoutant les éléments suivants :

- **Titres et texte courant :** La plupart des mises en page incluent des espaces réservés pour les titres et le texte courant. Par défaut, PowerPoint formate le texte en fonction du Masque des diapositives. Il est très facile de remplacer ce format en modifiant la police, la taille, le style ou la couleur du texte.

- **Zones de texte :** Vous pouvez ajouter du texte dans n'importe quelle partie d'une diapositive en dessinant une zone de texte dans laquelle vous saisirez du texte. Les zones de texte permettent d'ajouter du texte qui n'entre pas dans l'espace de réserve des titres ou du texte courant.

- **Formes :** Vous pouvez utiliser les outils de dessin de PowerPoint pour créer des formes automatiques comme des rectangles, des cercles, des étoiles, des flèches et des organigrammes. Il est possible de créer manuellement des formes en utilisant la ligne, le polygone et les outils de dessin à main levée.

- **Images :** Vous pouvez insérer des images dans vos diapositives. Leurs sources sont diverses. Elles peuvent être scannées ou téléchargées depuis Internet. PowerPoint propose une vaste collection de cliparts que vous pouvez utiliser sans restriction.

- **Diagramme :** PowerPoint possède une fonction de diagramme qui permet de créer plusieurs types communs de diagrammes : des organigrammes, des pyramides et bien d'autres.

- **Fichiers média :** Vous pouvez ajouter du son ou de la vidéo à vos diapositives.

Démarrer avec PowerPoint

Voici comment démarrer PowerPoint :

1. **Préparez-vous.**

   Allumez quelques bougies, faites des incantations pour chasser les mauvais démons, versez-vous une tasse de café, prenez un antihistaminique, asseyez-vous dans la position du lotus et récitez trois fois : *Bill Gates est mon ami. Toute résistance est inutile. Je me plie à sa volonté.*

2. **Cliquez sur le bouton Démarrer de la Barre des tâches de Windows.**

   Si vous n'avez pas modifié l'interface par défaut de Windows, le bouton Démarrer se trouve dans le coin inférieur gauche de votre écran.

3. **Pointez sur Tous les Programmes.**

   Une fois le menu Démarrer ouvert, placez le pointeur de la souris sur Tous les programmes de Windows XP. Un autre menu s'ouvre. (Si vous utilisez une autre version de Windows, cliquez sur Programmes.)

4. **Cliquez sur Microsoft Office/Microsoft PowerPoint 2003.**

   Votre ordinateur se met à faire du bruit et PowerPoint apparaît.

Personnaliser l'objet

Avant d'entrer dans le vif du sujet, je vous suggère de modifier un certain nombre de choses. Cela vous rendra la vie bien plus facile. Suivez ces quelques étapes :

1. **Cliquez sur Outils/Options, puis sur l'onglet Enregistrement.**

2. **Décochez la case Autoriser les enregistrements rapides.**

3. **Cliquez sur OK.**

4. **Choisissez Outils/Personnaliser, et cliquez sur l'onglet Options.**

5. **Si nécessaire, cochez la case Toujours afficher les menus dans leur intégralité.**

6. **Cochez également Afficher les barres d'outils Standard et Mise en forme sur deux lignes.**

   Cela vous évitera de chercher une barre d'outils, légèrement masquée par une autre, et que vous devriez déplacer manuellement.

7. **Cliquez sur OK.**

   Vous pouvez reprendre le cours normal de votre exploration de PowerPoint.

Se déplacer dans l'interface de PowerPoint

La Figure 1.1 montre l'écran d'ouverture de PowerPoint. Les paragraphes suivants mettent l'accent sur ses parties les plus importantes.

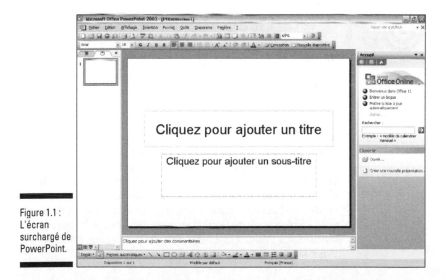

Figure 1.1 :
L'écran
surchargé de
PowerPoint.

✔ **La barre de menus :** En haut de l'écran, juste en dessous de la barre de titre Microsoft PowerPoint, se trouve la *barre de menus*. Les secrets les plus profonds de PowerPoint sont enfouis dans ces menus. Mettez un casque, allumez la lampe et partez en exploration.

✔ **La barre d'outils :** Sous la barre de menus, se trouve la *barre d'outils*. Elle est remplie d'icônes qui sont des raccourcis des commandes les plus souvent utilisées. Il suffit de cliquer dessus pour réaliser une tâche qui nécessite souvent l'ouverture de plusieurs menus successifs. La première barre d'outils se nomme barre d'outils *Standard*. Juste en dessous, se trouve la barre d'outils *Mise en forme*.

Si ces barres d'outils se trouvent sur la même *ligne* de l'interface de PowerPoint, séparez-les via Outils/Personnaliser. Dans la boîte de dialogue Personnalisation qui apparaît, cliquez sur l'onglet Options. Cochez la case Afficher les barres d'outils Standard et Mise en forme sur deux lignes. Cliquez ensuite sur Fermer.

✔ Tout en bas de l'écran, se trouve la barre d'outils *Dessin*. Elle possède des boutons qui permettent de dessiner sur vos diapositives.

Si vous ne vous souvenez plus de la fonction d'un bouton, placez le pointeur de la souris sur son icône : une info-bulle vous affiche un nom qui vous renseigne sur sa finalité.

✔ **La diapositive courante :** Au centre de l'écran, se trouve la diapositive en cours.

✔ **Onglets Diapositives et Plan :** A gauche de l'écran, vous pouvez basculer entre deux affichages : l'affichage en *Diapositives* et l'affichage en *Plan*. Le mode Diapositives, actif sur la Figure 1.1, affiche des images miniatures de chaque diapositive composant la présentation. Il suffit de cliquer sur une miniature pour afficher la diapositive au centre de l'écran. Le mode Plan affiche la mise en page de votre présentation. Pour basculer d'un mode à l'autre, cliquez sur l'onglet correspondant. (Pour plus d'informations sur le plan, lisez le Chapitre 3.)

✔ **Zone de commentaire :** Sous la diapositive, se trouve une petite zone appelée *zone de commentaire*. Pour plus d'informations sur sa fonction, consultez le Chapitre 5.

✔ **Volet Office :** A droite de la diapositive, se trouve le *volet Office*. Il permet de réaliser rapidement les tâches les plus communes. Lorsque vous démarrez PowerPoint pour la première fois, le volet affiche Accueil. Ses options permettent de créer une nouvelle présentation ou d'ouvrir une présentation existante. Lorsque vous travaillez dans PowerPoint, d'autres options apparaissent dans ce volet en fonction de ce que vous voulez faire.

✔ **Barre d'état :** Tout en bas de l'écran, se trouve la *barre d'état*. Elle indique la diapositive en cours d'édition.

Ne vous inquiétez pas de toutes ces petites choses avec lesquelles vous vous familiariserez très vite. Tout comprendre en lisant un chapitre est impossible.

Si PowerPoint ne remplit pas la totalité de votre écran, cliquez sur le bouton Agrandir situé dans le coin supérieur droit de la fenêtre principale de PowerPoint. Cliquez sur ce même bouton (qui se nomme désormais Restaurer) pour afficher une fenêtre PowerPoint plus réduite.

Comme la vue est belle !

Dans le coin inférieur gauche de la fenêtre de PowerPoint, se trouve une série de boutons qui permettent de basculer d'un mode d'affichage à un autre. Vous retrouvez d'ailleurs ces commandes dans le menu Affichage. Le Tableau 1.1 résume la fonction de chaque bouton.

Créer une nouvelle présentation

Lorsque vous lancez PowerPoint, le volet Nouvelle présentation s'affiche sur le côté droit de sa fenêtre principale. (reportez-vous à la Figure 1.1). Ce volet propose plusieurs méthodes d'ouverture d'une présentation PowerPoint ou de création d'un nouveau projet. Voici de quoi il retourne :

Tableau 1.1 : Les boutons d'affichage.

Bouton	Fonction
	Passe en mode Normal. Il affiche votre diapositive, la mise en page et les commentaires. C'est l'apparence classique de PowerPoint.
	Mode Trieuse de diapositives. Permet de réorganiser intuitivement les diapositives et de leur ajouter des transitions ou d'autres effets spéciaux.
	Mode Diaporama. Lance le diaporama, c'est-à-dire l'affichage des diapositives comme si vous les projetiez sur un écran.

✔ **Ouvrir :** Cette section du volet Nouvelle présentation liste les quatre dernières présentations sur lesquelles vous avez travaillé, plus une icône avec un lien hypertexte Présentations qui permet d'accéder à une boîte de dialogue pour rechercher vous-même une présentation à ouvrir. (Pour plus d'informations, reportez-vous à la section "Ouvrir une présentation", plus loin dans ce chapitre.)

✔ **Créer une nouvelle présentation :** Cette section liste trois manières de créer une nouvelle présentation :

Le volet Nouvelle présentation est composé de trois sections dévolues à une manière spécifique de créer un diaporama :

✔ **Créer :** Voici les options de cette section :

- **Nouvelle présentation :** Cliquez sur cette option pour créer une présentation vierge de tout contenu.

- **A partir du modèle de conception :** Cliquez sur A partir du modèle de conception pour créer une présentation qui se fonde sur un des nombreux modèles PowerPoint.

- **A partir de l'Assistant Sommaire automatique :** Cliquez sur A partir de l'Assistant Sommaire automatique qui exécute un assistant vous guidant dans la création du squelette d'une présentation.

- **Créer à partir d'une présentation existante :** Cette option permet de sélectionner une présentation existante à utiliser comme base d'une nouvelle présentation. Servez-vous de cette option pour créer une présentation semblable à une autre présentation que vous avez antérieurement créée.

- **Album photo :** Cliquez sur cette option pour créer des présentations composées principalement d'images.

- **Modèles :** Cette section du volet permet de choisir une présentation parmi les nombreux modèles fournis par PowerPoint. Vous pouvez notamment effectuer une recherche sur Internet.

- **Modèles récemment ouverts :** Affiche les quatre dernières présentations ouvertes.

Utiliser l'Assistant Sommaire automatique

La manière la plus simple de créer une nouvelle présentation, plus particulièrement pour les novices de PowerPoint, est d'utiliser l'Assistant Sommaire automatique. Ce "magicien" vous demande de lui communiquer des informations pertinentes comme votre nom, le titre de votre présentation et le type de présentation que vous désirez créer. Il génère ensuite l'architecture (squelette) d'une présentation que vous modifierez en fonction de vos besoins spécifiques.

 Microsoft essaie de vous faire croire qu'un assistant est capable de générer une présentation entière pendant que vous allez jouer au golf, PowerPoint prenant en charge la totalité des opérations nécessaires. Ce n'est malheureusement pas le cas. L'Assistant Sommaire automatique crée la mise en page de présentations assez communément utilisées. Mais PowerPoint ne pense pas à votre place.

Pour créer une présentation avec l'Assistant Sommaire automatique :

1. **Démarrez PowerPoint.**

PowerPoint apparaît comme sur la Figure 1.1.

2. **Dans la section Créer du volet Nouvelle présentation, cliquez sur A partir de l'Assistant Sommaire automatique.**

L'Assistant Sommaire automatique apparaît. Il affiche une boîte de dialogue semblable à celle de la Figure 1.2. Si le Compagnon Office est présent, ignorez ses quelques balbutiements. Cliquez dessus avec le bouton droit de la souris, et choisissez l'option Masquer.

Figure 1.2 :
L'Assistant
Sommaire
automatique
montre le
chemin.

3. **Cliquez sur Suivant.**

4. **Cliquez sur le type de présentation que vous désirez créer.**

Les présentations sont réparties en six catégories. Cliquez sur une catégorie pour restreindre les choix, ou sur Tout pour obtenir la liste de toutes les présentations dans toutes les catégories.

5. **Cliquez sur Suivant.**

Lorsque vous cliquez sur Suivant, l'Assistant Sommaire automatique affiche la boîte de dialogue de la Figure 1.3.

6. **Sélectionnez le type de support de votre future présentation.**

Choisissez Présentation sur écran si vous pensez diffuser la présentation sur un ordinateur.

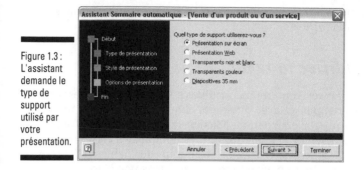

Figure 1.3 :
L'assistant
demande le
type de
support
utilisé par
votre
présentation.

7. **Cliquez sur Suivant.**

8. **Indiquez le titre de votre présentation et l'information de pied de page. Il s'agira de votre nom ou de celui de votre société.**

   Notez que l'option Date de la dernière mise à jour est active par défaut ainsi que le Numéro de diapositive. (Vous pouvez cliquer sur ces cases pour désactiver les options si vous ne désirez pas disposer des paramètres par défaut de ce type de présentation.)

9. **Cliquez sur Suivant.**

10. **Cliquez sur Terminer.**

    L'Assistant Sommaire automatique crée une présentation pour vous. Vous pouvez alors utiliser les outils de modification et les techniques de mise en forme décrits dans le reste de ce chapitre (et du livre) pour personnaliser la présentation.

Zoom avant

PowerPoint ajuste automatiquement son facteur de zoom pour afficher entièrement chaque diapositive. La valeur du zoom dépend de la résolution d'affichage de votre écran. Il est évident qu'une présentation n'a pas la même taille d'affichage si la résolution de votre écran est de 640 x 480 ou de 1 024 x 768. Pour modifier le zoom, choisissez Affichage/Zoom ou utilisez la liste Zoom de la barre d'outils Standard. Le zoom permet de travailler plus précisément sur certaines zones de vos diapositives.

Modifier le texte

Dans PowerPoint, les diapositives sont des zones vides que vous remplissez avec différents objets. L'objet le plus utilisé est le *texte*. Il est contenu dans une zone spécifique. D'autres types d'objets incluant des formes comme des cercles ou des triangles, des images importées depuis des fichiers clipart et des graphiques peuvent être insérés dans une diapositive.

La plupart des diapositives contiennent deux objets textuels : un pour son titre et l'autre pour son corps de texte (ou texte courant). Cependant, vous pouvez ajouter des objets texte supplémentaires et supprimer du texte courant ou un titre. Vous pouvez même supprimer les deux pour créer une diapositive sans texte.

Dès que vous placez le pointeur de la souris sur une zone de texte, il prend la forme d'un point d'insertion. Il suffit alors de cliquer pour saisir un nouveau texte.

Lorsque vous cliquez sur un objet textuel, une marque de sélection l'entoure et le point d'insertion apparaît à droite de l'endroit où vous avez cliqué. PowerPoint devient alors une sorte de traitement de texte. Tout caractère saisi est inséré dans le texte au niveau du point d'insertion. Vous pouvez utiliser la touche Suppr ou Retour arrière pour supprimer du texte, et vous déplacer dans cette zone de saisie avec les touches du pavé directionnel (les flèches). Si vous appuyez sur Entrée, une nouvelle ligne de texte apparaît dans l'objet textuel.

Quand une zone de texte ne contient aucun texte personnel, un message par défaut s'y affiche en permanence : Cliquez pour ajouter du texte. Si votre objet est destiné à un titre, le message est Cliquez pour ajouter un titre.

Si vous commencez à saisir du texte sans avoir cliqué quelque part, il apparaît dans le titre de l'objet textuel s'il n'en contient pas déjà un. Si le titre n'est pas vide, tout texte saisi est purement et simplement ignoré.

Quand vous avez fini de saisir du texte, appuyez sur la touche Echap ou cliquez sur la souris en dehors de la zone de texte.

Au Chapitre 2, vous découvrirez toutes les joies des objets textuels. Mais d'autres choses très importantes vous attendent avant d'en arriver là.

Se déplacer de diapositive en diapositive

Plusieurs méthodes permettent d'avancer ou de reculer dans la masse des diapositives constituant votre présentation :

- ✔ **Cliquez sur l'une des doubles flèches situées en bas de la barre de défilement vertical de la diapositive.** Vous avancez ou reculez alors d'une diapositive à la fois.

- ✔ **Utilisez les touches Page Up et Page Down du clavier pour vous déplacer d'une diapositive à la fois.**

- ✔ **Faites glisser le curseur de la barre de défilement vers le haut ou vers le bas.** Une info-bulle vous indique le numéro de la diapositive atteinte. Si vous souhaitez afficher cette diapo, relâchez le bouton de la souris. C'est une méthode très simple pour atteindre rapidement une diapositive spécifique de votre présentation.

- ✔ **Cliquez sur la miniature de la diapositive à afficher qui se trouve dans la liste des diapositives affichée sur le côté gauche de la fenêtre principale de PowerPoint.** Si les miniatures ne sont pas visibles, cliquez sur l'onglet Diapositives à côté de l'onglet Plan.

Ajouter une nouvelle diapositive

Les diapositives créées par l'Assistant Sommaire automatique ne correspondent pas forcément aux besoins de votre présentation. Bien qu'il soit possible de modifier les diapos en place, rien ne vous empêche d'en ajouter d'autres.

PowerPoint permet d'ajouter des diapos de cinquante manières différentes. En voici trois d'entre elles :

✔ Cliquez sur le bouton Nouvelle diapositive de la barre d'outils Standard.

✔ Choisissez Insertion/Nouvelle diapositive.

✔ Appuyez Ctrl+M.

Dans les trois cas, PowerPoint affiche une nouvelle diapositive ainsi que le volet Appliquer la mise en page des diapositives. Ce volet permet de choisir l'une des vingt-sept mises en page proposées. Cliquez sur l'une d'elles avec le bouton gauche de la souris et PowerPoint applique la mise en page à votre nouvelle diapositive.

Chaque mise en page de diapositive a un nom qui se révèle au passage de la souris. Sur la Figure 1.4, la mise en page sélectionnée se nomme *Titre et texte*. La dénomination des mises en page permet de connaître le type d'objets inclus dans la diapositive. Par exemple, la mise en page Texte inclut un objet textuel. *Titre, texte et contenu* inclut deux objets : un pour le texte et l'autre pour une image venant de la Bibliothèque de PowerPoint. Le plus souvent, vous utiliserez la mise en page Texte. C'est le meilleur format de présentation qui existe pour un sujet développant plusieurs points.

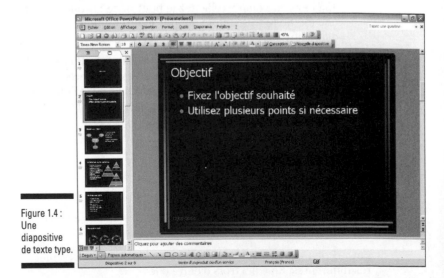

Figure 1.4 :
Une
diapositive
de texte type.

Une des mises en page proposées dans la section Disposition du contenu est *Vide*. Elle n'inclut aucun objet et est la seule qui permette de créer sa propre diapositive sans aucune prédéfinition.

Visionnez votre présentation !

Quand votre chef-d'œuvre est terminé, affichez-le en suivant ces quelques étapes :

1. **Cliquez sur Diaporama/Visionner le diaporama.**

   Plusieurs raccourcis clavier exécutent cette commande. Vous pouvez appuyer sur F5 ou cliquer sur le bouton Diaporama à partir de la diapositive sélectionnée situé dans le coin inférieur gauche de l'interface (à côté des boutons Mode).

2. **Votre cœur bat la chamade.**

   N'est-elle pas magnifique cette diapositive ?

3. **Appuyez sur la touche Entrée pour passer à la diapositive suivante.**

   Cela fonctionne aussi avec la barre d'espace.

   Pour revenir sur une diapositive, appuyez sur la touche PgPrec (PgUp).

4. **Appuyez sur Echap pour fermer le diaporama.**

   Inutile d'atteindre la dernière diapositive. Vous pouvez quitter un diaporama en cours d'exécution et revenir à PowerPoint.

Pour des informations complètes sur la façon de visionner des présentations, consultez le Chapitre 7.

Imprimer votre présentation

Vous pouvez imprimer votre chef-d'œuvre. Voici la procédure à suivre pour imprimer toutes les diapositives d'une présentation :

1. **Allumez votre imprimante.**

   Attendez que l'imprimante soit prête et vérifiez qu'elle contient du papier.

2. **Cliquez sur le bouton Imprimer de la barre d'outils Standard.**

   Rien ne vous empêche d'utiliser Fichier/Imprimer ou d'appuyer sur Ctrl+P, ou encore sur Ctrl+Maj+F12. Quelle que soit la méthode employée, la boîte de dialogue Imprimer apparaît avec une grande quantité d'options. Ne vous en occupez pas pour le moment puisque nous voulons imprimer toutes les diapositives de la présentation.

3. **Cliquez sur OK ou appuyez sur Entrée.**

Enregistrer votre travail

Puisque vous avez passé des heures à mettre en place une si jolie présentation, il est temps de goûter un repos bien mérité en éteignant votre ordinateur. Erreur ! Ne faites jamais cela ! Vous perdriez tout le fruit d'un travail laborieux. Sachez que toute la présentation se trouve dans la mémoire de l'ordinateur, c'est-à-dire une mémoire qui se vide dès que vous éteignez votre machine. Enregistrez votre présentation sur votre disque dur.

Comme pour de nombreuses tâches réalisables dans PowerPoint, enregistrer un document peut s'effectuer de différentes façons :

- Cliquez sur le bouton Enregistrer de la barre d'outils Standard.

- Choisissez Fichier/Enregistrer.

- Appuyez sur Ctrl+S.

- Appuyez sur Maj+F12.

Si vous n'avez jamais enregistré votre travail, la boîte de dialogue Enregistrer sous apparaît. Donnez un nom à votre présentation, puis cliquez sur le bouton Enregistrer. Lorsqu'une présentation a été enregistrée une fois, l'enregistrer de nouveau n'ouvre plus la boîte de dialogue. En d'autres termes, enregistrer de nouveau la présentation au cours de votre travail la sauvegarde automatiquement à l'endroit défini lors du premier enregistrement. Pour sélectionner un autre endroit ou faire une copie de votre présentation, choisissez Fichier/ Enregistrer sous. Sélectionnez un nouvel emplacement sur votre disque dur et/ou attribuez un nouveau nom au fichier de la présentation.

Voici quelques petites choses à garder à l'esprit quand vous enregistrez des fichiers :

> ✔ Donnez un nom significatif à votre présentation. Le nom de fichier est celui qui permet d'identifier la nature d'une présentation ; il doit donc en suggérer le contenu.

> ✔ Quand vous enregistrez un document, PowerPoint affiche une barre de progression en bas de sa fenêtre pour montrer qu'il fait quelque chose. Vas-y PowerPoint ! Enregistre ! Enregistre !

> ✔ Après avoir enregistré un fichier pour la première fois, le nom de la présentation apparaît dans la barre de titre. Preuve supplémentaire que vous avez bien enregistré votre travail.

> ✔ Ne travaillez pas pendant des heures sur un projet sans l'enregistrer régulièrement. Le raccourci Ctrl+S doit être un réflexe conditionné. Utilisez-le dès que vous effectuez des travaux qu'il serait bête de perdre par inadvertance de votre part ou par la négligence d'autres personnes. Il est également recommandé d'enregistrer votre travail avant de l'imprimer.

Ouvrir une présentation

Il est très facile d'ouvrir une présentation que vous avez enregistrée sur votre disque dur. Là encore, PowerPoint donne au moins quarante méthodes pour ouvrir une présentation sauvegardée. En voici quatre d'entre elles :

✔ Cliquez sur le bouton Ouvrir de la barre d'outils Standard.

✔ Choisissez Fichier/Ouvrir.

✔ Appuyez sur Ctrl+O.

✔ Appuyez sur Ctrl+F12.

Les quatre méthodes affichent la boîte de dialogue Ouvrir qui liste des fichiers parmi lesquels vous opérez un choix. Cliquez sur le fichier qui vous intéresse, puis sur le bouton Ouvrir. PowerPoint lit le fichier et le place dans la mémoire de votre machine. Vous pouvez maintenant travailler dessus.

La boîte de dialogue Ouvrir permet de parcourir tous vos lecteurs (on appelle *lecteurs* le disque dur, le lecteur de disquettes, le lecteur de CD ou de DVD, les périphériques de stockage comme les Jaz, les Zip, et j'en passe, les graveurs de CD-R, etc.) pour ouvrir le fichier souhaité. De fait, la boîte de dialogue Ouvrir de PowerPoint fonctionne comme toutes les boîtes de dialogue des applications conçues pour Windows.

La manière la plus rapide d'ouvrir un fichier consiste à double-cliquer dessus dans la boîte de dialogue Ouvrir.

PowerPoint conserve la trace des quatre derniers fichiers que vous avez ouverts. Il les affiche en bas du menu Fichier. Pour ouvrir l'un d'eux, cliquez sur son nom dans le menu en question.

Les quatre derniers fichiers ouverts sont également affichés dans le volet Nouvelle présentation. Cliquez sur le nom du fichier à ouvrir. L'accès est immédiat.

Fermer une présentation

Après une dure journée de travail dans PowerPoint, d'autres plaisirs vous appellent. Fermez votre présentation ! Cette opération est semblable au rassemblement de papiers que vous rangez scrupuleusement dans un dossier, lui-même déposé dans le tiroir de votre bureau. La présentation disparaît de votre écran, mais pas de votre ordinateur, puisqu'elle est stockée sur votre disque dur.

Pour fermer un fichier, choisissez Fichier/Fermer. Vous pouvez également utiliser le raccourci Ctrl+W, mais j'avoue qu'il est difficile de se souvenir que W est la première lettre de Fermer.

Inutile de fermer systématiquement un fichier avant de quitter PowerPoint, car ce dernier ferme le fichier ouvert à votre place. La seule raison qui pousse à fermer un fichier est le désir de travailler sur une autre présentation PowerPoint sans vouloir garder les deux fichiers ouverts simultanément.

Si vous avez effectué des modifications non enregistrées, PowerPoint vous invite à les sauvegarder avant de fermer la présentation. Cliquez sur Oui pour enregistrer votre travail ou sur Non si vous souhaitez ne pas conserver lesdites modifications.

Si vous fermez toutes les présentations PowerPoint ouvertes, vous observez que de nombreuses commandes de PowerPoint deviennent indisponibles. N'ayez pas peur ! Ouvrez une présentation ou créez-en une nouvelle et les commandes reprennent vie.

Quitter PowerPoint

Vous avez eu assez d'émotions pour la journée ? Alors, quittez PowerPoint par l'une des méthodes suivantes :

- ✔ Choisissez Fichier/Quitter.

- ✔ Cliquez sur le bouton de fermeture (x) situé dans le coin supérieur droit de la fenêtre principale de PowerPoint.

- ✔ Appuyez sur Alt+F4.

Et voilà ! PowerPoint entre dans l'histoire !

Vous devez connaître une petite chose sur la fermeture de PowerPoint (ou de toute autre application) :

- ✔ PowerPoint ne permet pas d'abandonner le navire sans envisager l'enregistrement de tout travail en cours non sauvegardé. Si vous avez effectué des modifications sans les enregistrer, PowerPoint vous donne une dernière chance de le faire avant de disparaître de votre écran.

Chapitre 2
Modifier
des diapositives

Si vous êtes comme moi, vos présentations PowerPoint ne pourront pas se créer sans quelques erreurs ou omissions. Ce chapitre montre comment revenir en arrière pour corriger ces imperfections.

Revoir et corriger son travail est appelé *édition*. Ce n'est pas très marrant, mais nécessaire.

Ce chapitre se focalise sur l'édition (c'est-à-dire la modification) des objets textuels. La majorité des techniques décrites ici s'appliquent à d'autres objets comme des cliparts ou des formes dessinées. Pour plus d'informations sur l'édition d'autres objets, consultez la troisième partie.

Se déplacer de diapositive en diapositive

La méthode la plus rapide pour passer d'une diapositive à l'autre consiste à appuyer sur les touches PgUp ou PgDown de votre clavier :

✓ **Page Down (PgDown) :** Déplace vers la diapositive suivante de votre présentation.

✓ **Page Up (PgUp) :** Déplace vers la diapositive précédente de votre présentation.

Alternativement, vous pouvez opérer pareils déplacements en cliquant sur les doubles flèches situées en bas de la barre de défilement de la diapositive.

Travailler avec des objets

Au début, l'Utilisateur créa une diapositive. Et la diapositive resta sans forme et vide, sans contenu éloquent. Et l'Utilisateur dit : "Place ici un objet textuel." Et l'objet textuel fut placé. Puis il y eut une nuit et un matin, le premier jour. Et l'Utilisateur dit, "Place ici une image." Et il y eut une image. Et il y eut de nouveau une nuit et un matin, le deuxième jour. Cela continua pendant quarante jours et quarante nuits, jusqu'à ce qu'il y eut quarante objets sur la diapositive, chacun de sa propre nature. Et tout l'auditoire se moqua de l'Utilisateur, car sa présentation était illisible.

Tout cela pour vous faire comprendre qu'il ne faut jamais surcharger les diapositives d'une présentation.

La plupart des objets de votre diaporama seront composés de texte.

Chaque diapositive dispose d'une mise en page qui consiste en un (ou plusieurs) *espace réservé*. Il s'agit d'une zone réservée pour le texte, les cliparts, un graphique et bien d'autres types d'objets. Par exemple, si vous choisissez la mise en page Titre, PowerPoint crée une nouvelle diapositive composée de deux espaces réservés : un pour le titre et l'autre pour le sous-titre. Vous pouvez ajouter d'autres objets à la diapositive ou bien en supprimer, les déplacer ou encore les redimensionner. La plupart du temps, la disposition par défaut des objets vous conviendra totalement.

Vous pouvez ajouter des objets à votre diapositive en utilisant des outils qui apparaissent sur la barre d'outils Dessin. Pour plus d'informations sur les objets supplémentaires, lisez les Chapitres 10, 14, 15 et 16.

Chaque objet occupe une zone rectangulaire sur la diapo. Le contenu de l'objet peut ou non remplir la totalité du rectangle ainsi alloué. Mais en toute circonstance, vous voyez les contours de l'objet lorsque vous le sélectionnez (voir la section suivante "Sélectionner des objets").

Sélectionner des objets

Avant de modifier le contenu d'une diapositive, vous devez sélectionner l'objet qu'elle contient. Par exemple, vous ne pouvez pas saisir directement du texte à l'écran. Il faut préalablement sélectionner l'objet texte (ou textuel, à votre convenance) qui contient le texte à modifier. En général, vous devez sélectionner tout objet en vue de le modifier.

Voici quelques petites choses à garder à l'esprit quand vous sélectionnez des objets :

- ✔ **Flèche :** Avant de sélectionner un objet, vérifiez que le curseur a la forme requise. Si ce n'est pas le cas, cliquez sur le bouton de la barre d'outils Dessin représentant une flèche. (Officiellement, ce bouton est appelé *Sélectionner les objets*, mais il ressemble à une simple flèche.)

- ✔ **Objets textuels :** Pour sélectionner un objet textuel afin de le modifier, placez le pointeur de la souris dessus et cliquez sur le bouton gauche. Une zone rectangulaire apparaît autour de l'objet, et l'arrière-plan situé derrière le texte se transforme en couleur unie pour faciliter la lecture du texte. Un point d'insertion clignote dans la zone de saisie, indiquant l'emplacement où apparaîtra le texte.

- ✔ **Objets non textuels :** Les autres types d'objets fonctionnent un peu différemment. Cliquez sur un objet pour le sélectionner. Une zone de sélection rectangulaire entoure l'objet. Vous pouvez alors le déplacer ou le redimensionner, mais certainement pas le modifier. Pour modifier un objet non textuel, double-cliquez dessus. (Le sélectionner n'est pas nécessaire. Pointez dessus avec la souris et double-cliquez.)

✔ **Cliquer-déplacer :** Une autre manière de sélectionner un objet – ou plusieurs – consiste à utiliser le pointeur pour dessiner un cadre virtuel autour de l'objet à sélectionner. Pointez en haut à gauche de l'objet ou du groupe d'objets à sélectionner. Cliquez et, sans relâcher le bouton de la souris, faites glisser le pointeur dans le coin inférieur droit opposé. Lorsque vous relâchez le bouton de la souris, tous les objets se trouvant dans le rectangle sont sélectionnés.

✔ **Touche Tab :** Vous pouvez également appuyer sur la touche Tab pour sélectionner des objets. Appuyez sur Tab une fois pour sélectionner le premier objet de la diapositive. Appuyez de nouveau sur Tab pour sélectionner l'objet suivant. Vous aurez compris qu'il faut appuyer sur Tab jusqu'à ce que l'objet à modifier soit sélectionné.

✔ **Touche Maj :** Vous pouvez sélectionner plusieurs objets en cliquant sur le premier puis, touche Maj enfoncée, en cliquant sur les autres objets à sélectionner.

Appuyer sur la touche Tab est pratique lorsque vous ne pouvez pas pointer précisément sur l'objet. Ce problème survient si les objets sont empilés.

Redimensionner ou déplacer un objet

Quand vous sélectionnez un objet, une zone rectangulaire de sélection (que l'on appelle *cadre* ou *marque de sélection*) l'encadre. Si vous regardez ce cadre de plus près, vous voyez de sympathiques *poignées* dans les coins et au centre de chaque bord. Il suffit de positionner le pointeur de la souris sur un des bords, mais entre deux poignées, pour déplacer l'objet.

Les objets graphiques disposent d'une poignée verte appelée *poignée de rotation*. Elle permet une rotation libre de l'objet.

Pour modifier la taille d'un objet, sélectionnez-le et agissez directement sur les poignées mises à votre disposition. Cliquez sur une poignée et maintenez le bouton de la souris enfoncé. Faites glisser le pointeur dans le sens voulu du redimensionnement. Relâchez le bouton de la souris : c'est fait !

Les diverses poignées d'un objet permettent d'agir différemment sur son redimensionnement :

- ✔ Les poignées situées dans les angles permettent de modifier la hauteur et la largeur de l'objet.

- ✔ Les poignées situées sur les bords supérieur et inférieur permettent de modifier la hauteur.

- ✔ Les poignées situées sur les bords verticaux n'agissent que sur la largeur.

Si vous maintenez enfoncée la touche Ctrl tout en faisant glisser l'une des poignées, l'objet reste centré à sa position en cours sur la diapositive. Essayez de maintenir enfoncée la touche Maj pendant que vous agissez sur des poignées d'angle. Vous constaterez que PowerPoint maintient les proportions de l'objet.

Modifier la taille d'un objet textuel ne modifie pas le texte de l'objet ; seul le cadre contenant le texte subit une modification. Cela équivaut à modifier les marges dans un document Word. Les lignes de texte sont plus ou moins rapprochées, mais la taille du texte reste la même. Pour modifier cette taille, reportez-vous au Chapitre 9.

Pour déplacer un objet, cliquez n'importe où sur une bordure du cadre de sélection, mais surtout pas sur une poignée. Faites glisser l'objet jusqu'à l'endroit désiré, puis relâchez le bouton de la souris.

Le cadre de sélection peut être difficile à voir sur des arrière-plans fantaisie. Si vous sélectionnez un objet sans parvenir à identifier son cadre de sélection, cliquez sur Affichage/Couleurs/Nuances de gris. Vous pouvez également cliquer sur le bouton homonyme de la barre d'outils Standard. Ce bouton affiche un menu local de trois modes colorimétriques :

- ✔ **Couleur :** Affiche toutes les couleurs des diapositives.

> ✔ **Niveau de gris :** Affiche les couleurs en nuances de gris.
>
> ✔ **Noir et blanc intégral :** Affiche les diapositives en noir et blanc.

Pour passer d'un mode à l'autre, il suffit de cliquer sur le bouton adéquat de ce menu local.

Modifier un objet texte

Quand vous sélectionnez un objet texte, PowerPoint se transforme en petite application de traitement de texte. Si vous connaissez bien un programme comme Microsoft Word ou même WordPad, vous n'aurez aucun problème à travailler dans le petit traitement de texte de PowerPoint.

Le texte d'une présentation PowerPoint est généralement formaté avec une puce au début de chaque paragraphe. Il s'agit d'un carré rudimentaire auquel vous pouvez substituer n'importe quelle forme (voir le Chapitre 9). Ce que vous devez savoir est que la puce fait partie intégrante du format de paragraphe. Il ne s'agit pas d'un caractère que vous devez saisir. Elle apparaît dès que vous appuyez sur la touche Entrée.

La plupart des logiciels de traitement de texte permettent de choisir entre le *mode insertion* et le *mode refrappe*. Avec le mode insertion, chaque caractère que vous saisissez s'insère à l'endroit du point d'insertion, repoussant éventuellement, vers la droite, des caractères existants. En mode refrappe, chaque caractère saisi remplace les caractères existants à la position du point d'insertion. PowerPoint travaille toujours en mode insertion. Le texte que vous saisissez apparaît donc au point d'insertion. Appuyer sur la touche Insert de votre clavier n'aura aucun effet ici.

Vous pouvez vous déplacer dans un objet textuel en pressant les *touches du pavé directionnel* (les flèches).

Vous pouvez aussi utiliser les touches Fin et Origine (Home) pour vous placer en fin ou en début de ligne. Les flèches peuvent s'utiliser conjointement avec la touche Ctrl. Par exemple, Ctrl+← et Ctrl+→ permettent de placer respectivement le point d'insertion devant et derrière le mot.

Vous supprimez du texte en appuyant sur la touche Suppr ou
Retour arrière de votre clavier. Vous pouvez appuyer sur
Ctrl+Suppr pour effacer la totalité d'un mot, en appuyant
d'abord sur Ctrl+Flèche de gauche ou Ctrl+Flèche de droite afin
de déplacer le point d'insertion au début du mot à supprimer.
Appuyez ensuite sur Ctrl+Suppr.

Sélectionner du texte

Certaines opérations d'édition – comme l'amputation et la
transplantation – exigent une sélection préalable du texte.
Voici les méthodes à votre disposition :

✔ Quand vous utilisez le clavier, maintenez la touche Maj
enfoncée et appuyez sur les touches du pavé directionnel
correspondant à la direction dans laquelle se trouve le
texte à sélectionner.

✔ Avec la souris, pointez au début du texte à sélectionner,
puis cliquez et faites glisser le pointeur sur le texte
concerné. Relâchez le bouton de la souris quand vous
atteignez le dernier mot à marquer.

Avec l'option de sélection automatique d'un mot entier,
PowerPoint pense que vous désirez sélectionner la totalité d'un
mot. Si vous utilisez la souris pour marquer un bloc de texte,
vous observerez que le texte sélectionné inclut toujours les
mots en entier, même si vous vous arrêtez au début du mot. Si
cette fonction vous déplaît, choisissez Outils/Options. Cliquez
sur l'onglet Edition et décochez la case Lors d'une sélection,
sélectionner automatiquement le mot entier.

✔ **Un seul mot :** Pour sélectionner un seul mot, double-
cliquez dessus.

✔ **Un paragraphe entier :** Pour sélectionner tout un paragraphe, triple-cliquez dedans.

Après avoir sélectionné du texte, modifiez-le avec l'une des
méthodes suivantes :

✔ **Supprimer du texte :** Pour supprimer la totalité d'un bloc de texte sélectionné, appuyez sur Suppr ou Retour arrière.

✔ **Remplacer du texte :** Pour remplacer un bloc de texte sélectionné, saisissez le nouveau texte. Le bloc disparaît et votre nouvelle prose le remplace dès que vous appuyez sur une lettre de votre clavier.

✔ **Couper, Copier et Coller :** Vous pouvez utiliser les commandes Couper, Copier et Coller du menu Edition. Les sections suivantes décrivent ces commandes.

Couper, Copier et Coller

Comme tout bon programme Windows qui se respecte, PowerPoint utilise les commandes standard Couper, Copier et Coller. Elles s'appliquent à la *sélection courante*. Quand vous modifiez un objet textuel, la sélection courante est le bloc de texte que vous avez sélectionné. Mais, si vous sélectionnez un objet entier, la sélection en cours est l'objet lui-même. En d'autres termes, vous pouvez utiliser Couper, Copier et Coller sur tout ou partie d'un objet.

Couper, Copier et Coller fonctionnent de concert avec un lieu de Windows assez mystérieux : le *Presse-papiers*. Il s'agit d'un espace de stockage temporaire où Windows entrepose tout ce que vous copiez ou coupez pour pouvoir le coller dans une présentation ou une autre application.

PowerPoint utilise une nouvelle fonction appelée *Presse-papiers Office*. A l'inverse du Presse-papiers de Windows, il permet de stocker simultanément plusieurs informations. Pour en savoir plus, lisez la section "Utiliser le Presse-papiers Office", un peu plus loin dans ce chapitre.

Les raccourcis clavier de Couper, Copier et Coller sont les mêmes que pour les autres programmes Windows : Ctrl+X pour Couper, Ctrl+C pour Copier et Ctrl+V pour Coller. Comme ces raccourcis sont valables pour tous les programmes Windows, je vous conseille de les mémoriser.

Les commandes Copier et Coller sont souvent utilisées conjointement pour dupliquer une information. Pour répéter une phrase entière, par exemple, copiez-la dans le Presse-papiers. Placez ensuite le point d'insertion à l'endroit du texte où vous désirez faire apparaître une copie de la phrase, et utilisez la commande Coller. Ou, si vous désirez créer une diapositive qui contient cinq rectangles identiques, commencez par dessiner un rectangle. Copiez-le dans le Presse-papiers, puis collez-le quatre fois. Vous disposez alors de cinq rectangles.

Les commandes Couper et Coller permettent de déplacer un élément d'une position à une autre. Pour déplacer une phrase d'une diapositive à une autre, sélectionnez la phrase et coupez-la. Elle est stockée dans le Presse-papiers. Affichez ensuite la diapositive où vous désirez coller la phrase. Cliquez à l'endroit où doit apparaître la phrase et utilisez la commande Coller.

Couper un bloc de texte

Quand vous coupez un bloc de texte, ce dernier est retiré de la diapositive en cours pour être placé dans le Presse-papiers. Vous l'utiliserez plus tard depuis cet endroit mystérieux. Copier un bloc de texte le place dans le Presse-papiers, mais sans l'enlever de la diapositive en cours.

Pour couper un bloc, commencez par le sélectionner avec les touches du clavier ou la souris. Utilisez ensuite l'une des trois méthodes suivantes :

- ✔ Choisissez Edition/Couper.
- ✔ Cliquez sur le bouton Couper de la barre d'outils Standard.
- ✔ Appuyez sur Ctrl+X.

Ces méthodes suppriment le texte de l'écran. Ne vous inquiétez pas puisqu'il est en sécurité dans le Presse-papiers.

Copier un bloc de texte

Pour copier un bloc, sélectionnez-le et invoquez la commande Copier par l'une des trois méthodes suivantes :

↙ Choisissez Edition/Copier.

↙ Cliquez sur le bouton Copier de la barre d'outils Standard.

↙ Appuyez sur Ctrl+C.

Le texte est copié dans le Presse-papiers, mais cette fois il reste présent à l'écran. Pour retrouver le texte, il suffit d'utiliser la commande Coller comme il est décrit dans la section suivante.

Coller du texte

Pour coller du texte depuis le Presse-papiers, placez le point d'insertion à l'endroit où vous désirez procéder à la copie. Invoquez ensuite la commande Coller par l'une des méthodes suivantes :

↙ Choisissez Edition/Coller.

↙ Cliquez sur le bouton Coller de la barre d'outils Standard.

↙ Appuyez sur Ctrl+V.

Lorsque vous collez du texte dans une présentation PowerPoint, ce dernier le reformate automatiquement pour qu'il corresponde à la mise en forme du texte dans lequel vous le collez. Pour conserver les informations originales du texte ainsi collé, cliquez sur le bouton Options de collage qui apparaît juste à côté du texte collé. Dans son menu, choisissez Conserver la mise en forme source.

Couper, copier et coller des objets entiers

L'utilisation de Couper, Copier et Coller n'est pas limitée aux blocs de texte ; ces commandes fonctionnent parfaitement bien avec les objets. Sélectionnez l'élément, copiez-le ou coupez-le vers le Presse-papiers, placez le pointeur à une nouvelle position, puis collez l'objet depuis le Presse-papiers.

Pour déplacer un objet d'une diapositive à une autre, sélectionnez l'objet et coupez-le. Affichez ensuite la diapositive de destination et collez l'objet depuis le Presse-papiers.

Pour dupliquer un objet sur plusieurs diapositives, sélectionnez l'objet et copiez-le dans le Presse-papiers. Affichez les diapositives successivement et collez l'objet dans chacune d'elles.

Vous pouvez dupliquer un objet sur la même diapositive en le sélectionnant, le copiant et le collant. Le seul petit problème est que l'objet est collé sur son clone. Déplacez-le à la souris et le tour est joué.

Pour dupliquer facilement un objet, utilisez Edition/Dupliquer. Cette commande combine les commandes Copier et Coller. Son raccourci clavier est Ctrl+D. L'intérêt de la duplication est que PowerPoint déplace légèrement chaque objet dupliqué l'un par rapport à l'autre. La duplication d'un objet déplacé se fait au nouvel emplacement de l'objet.

Essayez ceci : sur une diapositive vide, dessinez un petit rectangle (si vous ne savez pas comment faire, lisez le Chapitre 14). Sélectionnez-le et appuyez sur Ctrl+D. Une copie de l'objet apparaît. Déplacez cette copie avec la souris pour la placer au-dessus de l'original. Appuyez de nouveau sur Ctrl+D. PowerPoint place le troisième rectangle à portée du deuxième.

Une méthode très rapide de duplication consiste à déplacer l'objet tout en appuyant sur la touche Ctrl. Un signe + apparaît sous le pointeur. Quand vous relâchez le bouton de la souris, l'objet est dupliqué.

Pour enlever définitivement un objet, c'est-à-dire sans le copier dans le Presse-papiers, sélectionnez-le et appuyez sur la touche Suppr de votre clavier ou choisissez Edition/Effacer.

Pour inclure le même objet sur chaque diapositive de votre présentation, vous pouvez utiliser une meilleure méthode que le copier-coller : ajoutez l'objet sur le *Masque de diapositives* qui gouverne le format de toutes les diapositives d'une présentation (voir le Chapitre 12).

Utiliser le Presse-papiers Office

Le Presse-papiers Office est une nouvelle fonction des programmes de la gamme Office. Il permet de stocker jusqu'à vingt-quatre éléments textuels ou graphiques de n'importe quelle application Office. Le Presse-papiers Office apparaît dans le volet Office, à droite de l'écran de PowerPoint. Il liste tous les éléments actuellement stockés dans le Presse-papiers Office comme en témoigne la Figure 2.1.

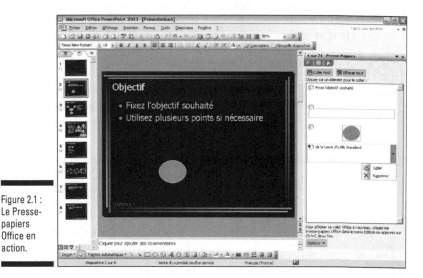

Figure 2.1 :
Le Presse-
papiers
Office en
action.

Pour coller un élément, commencez par afficher le contenu du Presse-papiers Office via Edition/Presse-papiers Office. Cliquez ensuite dans le document pour indiquer l'endroit où sera collé l'objet.

Les éléments que vous coupez ou copiez sont ajoutés au Presse-papiers Office uniquement si ce dernier est actif. Voici plusieurs manières d'activer le Presse-papiers Office :

✔ Choisissez Edition/Presse-papiers Office.

✔ Appuyez deux fois sur Ctrl+C.

> ✔ Copiez ou collez les deux éléments consécutivement,
> en ne faisant rien d'autre entre ces deux actions.

L'icône du Presse-papiers Office apparaît dans la Barre des
tâches (à côté de l'horloge), chaque fois que cette fonction est
active. Tant que l'icône est présente, tout ce que vous copiez
ou coupez est stocké dans le Presse-papiers Office, même s'il
n'est pas affiché dans le volet Office de PowerPoint.

Pour supprimer un élément du Presse-papiers Office, cliquez
dessus avec le bouton droit de la souris. Dans le menu contextuel, choisissez Supprimer. Il est possible de supprimer la
totalité des éléments du Presse-papiers Office. Avec le bouton
droit de la souris, cliquez sur son icône dans la Barre des
tâches. Choisissez Effacer tout.

Dès que vous en avez terminé avec le Presse-papiers Office,
masquez-le en cliquant sur son bouton de fermeture dans le
volet Office (l'icône x).

Aïe ! Ce n'est pas ce que je veux faire (la merveilleuse commande Annuler)

Une erreur ? Pas de panique ! Utilisez la commande Annuler.
C'est votre bouée de sauvetage. Ne l'oubliez jamais.

Vous disposez de trois méthodes d'annulation d'une erreur :

> ✔ Choisissez Edition/Annuler dans la barre de menus.

> ✔ Cliquez sur le bouton Annuler de la barre d'outils Stan-
> dard.

> ✔ Appuyez sur Ctrl+Z.

Annuler remet votre travail dans l'état qui était le sien juste
avant que vous ne commettiez votre erreur. Si vous supprimez
un texte, exécutez immédiatement l'annulation. La suppression
est annulée et le texte réapparaît. Si vous déplacez un objet,
annulez le déplacement pour replacer l'objet à sa position
d'origine.

Annuler est une commande tellement utile que je vous encourage à mémoriser ce simple raccourci clavier pour l'exécuter dès que vous en aurez besoin : Ctrl+Z.

Vingt actions peuvent être annulées dans PowerPoint. Cependant, il est recommandé d'annuler une erreur aussitôt que possible. En effet, l'annulation de plusieurs étapes obligent à refaire celles qui étaient correctes, puisque PowerPoint ne dispose pas d'un historique où l'on puisse annuler une action dans une liste et laisser les autres intactes. Avec PowerPoint, vous remontez étape par étape dans l'annulation des actions. Pour cette raison, appuyez sur Ctrl+Z dès que vous faites une erreur.

PowerPoint dispose aussi d'une fonction Répéter. C'est une annulation d'une annulation. En d'autres termes, si vous annulez ce que vous pensez être une erreur et qui s'avère être un chose géniale, vous pouvez rétablir l'action annulée. Par exemple, si vous ajoutez un texte qui ne vous plaît pas, annulez votre saisie. Et si, dans la seconde qui suit cette annulation, vous pensez vraiment que le texte doit apparaître, répétez l'annulation pour faire réapparaître le texte. Voici trois manières d'exécuter une répétition :

- Choisissez Edition/Refaire.

- Cliquez sur le bouton Refaire de la barre d'outils Standard.

- Appuyez sur Ctrl+Y.

Supprimer une diapositive

Vous souhaitez supprimer une diapositive ? Pas de problème ! Affichez la diapositive à supprimer, puis choisissez Edition/Effacer. Plus de diapo !

Une autre méthode consiste à cliquer sur la représentation miniature d'une diapositive dans le panneau de gauche de la fenêtre principale de PowerPoint, puis d'appuyer sur la touche Suppr de votre clavier, ou sur la touche Retour arrière.

Vous avez supprimé la mauvaise diapo ? Pas de problème !
Appuyez immédiatement sur Ctrl+Z ou choisissez Edition/
Annuler supprimer la diapositive.

Dupliquer une diapositive

PowerPoint dispose d'une fonction Dupliquer la diapositive qui
permet de faire, en une seule opération, une copie conforme
d'une diapo existante. Ainsi, après avoir passé des heures à
mettre en page une diapositive, vous la dupliquerez en moins
de temps qu'il n'en faut pour le dire. Elle servira de base à une
autre diapo de la présentation.

Affichez la diapositive à dupliquer, puis choisissez Insertion/
Dupliquer la diapositive. Une copie de la diapo est insérée dans
votre présentation.

Si vous êtes un adepte du raccourci clavier, il vous suffit de
sélectionner la diapositive à dupliquer dans le panneau
Diapositives situé à gauche de la fenêtre de PowerPoint, puis
d'appuyer sur Ctrl+D.

Trouver du texte

Comment savoir quelle est la diapositive qui affiche un texte
particulier dans votre présentation qui ne compte pas moins
de soixante diapos ? C'est un travail pour la fonction Rechercher de PowerPoint.

Grâce à cette commande, vous pouvez trouver n'importe quel
texte dans n'importe quelle diapositive. Voici quelques étapes
qui montrent la procédure à suivre :

1. **Déterminez le texte à trouver.**

2. **Choisissez Edition/Rechercher ou bien appuyez sur
   Ctrl+F.**

   La Figure 2.2 montre la boîte de dialogue Rechercher qui
   apparaît.

Figure 2.2 :
La boîte de
dialogue
Rechercher.

3. Saisissez le texte que vous désirez trouver.

Il doit être saisi dans le champ Rechercher.

4. Appuyez sur la touche Entrée.

Ou cliquez sur le bouton Suivant.

La commande Rechercher localise votre texte dans toutes les diapositives qui le contiennent. Le texte est mis en surbrillance, c'est-à-dire qu'il est sélectionné. Vous pouvez alors le modifier ou rechercher une autre occurrence du texte dans votre présentation. Si vous modifiez le texte, la boîte de dialogue Rechercher reste affichée pour vous permettre de poursuivre vos... recherches.

Voici quelques petites choses à garder à l'esprit quand vous utilisez la commande Rechercher :

- ✔ Pour trouver la prochaine occurrence du texte, appuyez de nouveau sur Entrée ou cliquez sur le bouton Suivant de la boîte de dialogue.

- ✔ Pour modifier le texte trouvé, cliquez dessus. La boîte de dialogue reste à l'écran. Pour poursuivre la recherche, cliquez de nouveau sur le bouton Suivant.

- ✔ Pas besoin d'être au début de la présentation pour lancer une recherche globale. Dès que PowerPoint atteint la fin du document, il poursuit la recherche au début du document jusqu'au point où vous avez sollicité la commande Rechercher.

- ✔ Vous pouvez recevoir le message PowerPoint suivant :

```
PowerPoint a terminé la recherche de la présentation.
L'élément recherché est introuvable.
```

Ce message signifie que PowerPoint baisse les bras. Le texte saisi n'existe pas dans votre diaporama. Vous l'avez peut-être mal orthographié, à moins qu'aucune diapositive ne le contienne.

✔ Si le mélange des majuscules et des minuscules est important, cochez la case Respecter la casse avant de lancer la recherche. Cette option est fondamentale quand, par exemple, vous cherchez un texte comme *M. Dupont sous le pont.*

✔ Utilisez l'option Mot entier pour ne trouver que le texte qui apparaît sous la forme d'un mot entier. Par exemple, si vous cherchez le mot *pont* et que vous ne cochez pas cette case, PowerPoint s'arrêtera sur *Dupont*, *Pontarlier* ou encore *Apponter*. Dans ce cas, saisissez *pont* dans le champ Rechercher et cochez Mot entier. PowerPoint ne s'arrêtera que sur les occurrences du terme *pont*.

✔ Si vous trouvez le texte recherché et souhaitez le remplacer par autre chose, cliquez sur le bouton Remplacer. Cette fonction est étudiée dans la prochaine section.

✔ Pour faire disparaître la boîte de dialogue Rechercher, cliquez sur le bouton Fermer ou appuyez sur la touche Echap de votre clavier.

Remplacer du texte

Supposez qu'une entreprise change sa raison sociale. Celle-ci doit se retrouver dans toutes les diapositives de la présentation que vous préparez pour elle. Pas de problème. Utilisez la fonction Remplacer de PowerPoint :

1. **Choisissez Edition/Remplacer ou appuyez sur Ctrl+H.**

   La boîte de dialogue de la Figure 2.3 apparaît.

2. **Dans le champ Chercher, saisissez le texte à trouver.**

   Saisissez le texte qui doit être remplacé.

3. **Dans le champ Remplacer par, saisissez le texte de remplacement.**

Figure 2.3 :
La boîte de
dialogue
Remplacer.

Remplacer

Rechercher :

Suivant

Remplacer par :

Fermer

Remplacer

☐ Respecter la casse

Remplacer tout

☐ Mot entier

4. **Cliquez sur le bouton Suivant.**

   PowerPoint s'arrête sur la première occurrence rencontrée.

5. **Cliquez sur Remplacer pour substituer le texte saisi au texte en place.**

6. **Cliquez de nouveau sur Suivant et remplacez pour toutes les occurrences souhaitées.**

Si vous devez remplacer toutes les occurrences du texte dans votre présentation, cliquez directement sur Remplacer tout. Dans ce cas, n'oubliez pas de cocher la case Mot entier, sinon PowerPoint remplacera également les occurrences qui se trouvent dans un mot. Par exemple, si vous remplacez *pont* par *passerelle*, PowerPoint remplacera *Dupont* par *Dupasserelle*.

Réorganiser vos diapositives en mode Trieuse de diapositives

En mode Normal, l'affichage permet de modifier directement les diapositives en y ajoutant du texte ou des graphiques, etc. Ce mode connaît quelques limitations : vous n'avez pas une vue d'ensemble de votre présentation, et vous ne voyez en détail qu'une seule diapositive. Pour obtenir cet affichage global, passez en mode Trieuse de diapositives.

Vous pouvez basculer vers ce mode de deux manières :

✔ Cliquez sur le bouton Mode Trieuse de diapositives situé dans le coin inférieur gauche de la fenêtre de PowerPoint.

✔ Choisissez Affichage/Trieuse de diapositives.

La trieuse de diapositives apparaît (Figure 2.4).

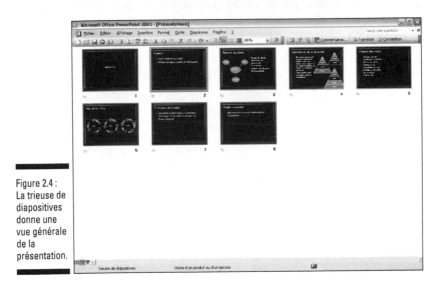

Figure 2.4 :
La trieuse de
diapositives
donne une
vue générale
de la
présentation.

La liste ci-dessous indique comment réorganiser, ajouter ou
supprimer des diapositives dans ce mode :

✔ **Pour déplacer une diapositive**, cliquez dessus et faites-la
glisser vers un nouvel emplacement. Pointez sur la
diapositive, maintenez le bouton gauche de la souris
enfoncé, et faites glisser la diapositive. Relâchez le
bouton de la souris quand elle se trouve correctement
positionnée dans la présentation.

✔ **Pour supprimer une diapositive**, cliquez dessus pour la
sélectionner et appuyez sur la touche Suppr de votre
clavier. Vous pouvez également utiliser Edition/Effacer.

✔ **Pour ajouter une nouvelle diapositive**, cliquez sur celle
que la nouvelle diapo doit suivre, puis cliquez sur le
bouton Nouvelle diapositive : le volet Mise en page des
diapositives apparaît. Pour modifier le contenu de cette
diapositive (ou d'une autre), retournez en mode Normal
en cliquant sur le bouton adéquat situé dans le coin
inférieur gauche de l'écran.

Si votre présentation contient plus de diapositives que ne peut en afficher l'écran, modifiez le facteur de zoom. Réduisez le pourcentage. Dans ce cas, vous voyez davantage de diapositives, mais leur taille est réduite.

Chapitre 3

Planifier votre présentation

*V*ous avez probablement observé que la plupart des présentations consistent en des diapositives qui énumèrent des éléments avec des listes à puces. Vous voyez quelques représentations graphiques et, occasionnellement, des cliparts destinés à détendre l'atmosphère d'une présentation austère. Ce n'est guère réjouissant, mais cela reste le meilleur moyen de bien faire passer un message.

Pour cette raison, les présentations s'accommodent très bien du mode Plan. Souvent, les présentations semblent limpides dans le discours et s'avèrent lourdes dès que vous les générez dans PowerPoint. L'onglet Plan, situé juste à gauche de l'onglet Diapositives, permet d'apprécier la hiérarchie du diaporama. Vous vous focalisez sur le contenu et non plus sur l'apparence.

Accéder au mode Plan

Pour basculer en mode Plan, cliquez sur l'onglet du même nom en haut à gauche de la fenêtre principale de PowerPoint 2003. Le plan apparaît comme illustré Figure 3.1.

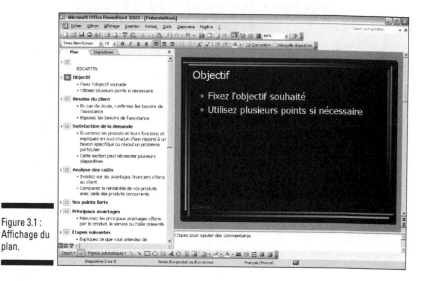

Figure 3.1 :
Affichage du plan.

Vous pouvez développer les zones du plan en cliquant et en faisant glisser la bordure du volet Plan.

L'énumération suivante attire votre attention sur les choses les plus importantes du plan :

- **Le plan est constitué des titres et du texte courant de chaque diapositive.** Tous les autres éléments ajoutés à la présentation, comme des images, des graphiques et j'en passe, ne sont pas représentés dans le plan. Tout objet textuel ajouté manuellement ne sera pas affiché dans le plan.

- **Chaque diapositive est représentée au niveau de son titre.** C'est le plus haut niveau de représentation d'une diapo. Le texte de ce titre se trouve à droite de la diapo.

Le numéro de la diapositive s'affiche à gauche de cette icône.

✔ **Chaque ligne de texte courant d'une diapositive est placée en retrait du titre.**

✔ **Un plan peut contenir des sous-points qui sont subordonnés à des points principaux sur chaque diapositive.** PowerPoint permet de créer jusqu'à cinq niveaux de titre sur chaque diapo. Je pense qu'au-delà de trois niveaux la diapositive devient très difficile à décrypter. Vous en saurez davantage sur le travail avec les niveaux en lisant la section "Hausser et abaisser des paragraphes", plus loin dans ce chapitre.

Utiliser la barre d'outils Mode Plan

PowerPoint propose une barre d'outils spéciale dévolue au plan. Elle contient des boutons destinés à l'affichage en mode Plan. Vous pouvez afficher cette barre d'outils en choisissant Affichage/Barres d'outils/Mode Plan. Elle apparaît à gauche du plan.

Le Tableau 3.1 présente la fonction de chaque bouton de cette barre.

Sélectionner et modifier une diapositive

Quand vous travaillez en mode Plan, vous devez généralement sélectionner la totalité d'une diapositive. PowerPoint permet de le faire de trois manières différentes :

✔ Cliquez sur l'icône de la diapositive.

✔ Cliquez sur le numéro de la diapositive.

✔ Triple-cliquez n'importe où dans le titre de la diapositive.

Quand vous sélectionnez une diapositive, son titre et son texte courant apparaissent en surbrillance. En plus, tous les autres objets comme les graphiques sont également sélectionnés sur la diapositive, bien qu'ils n'apparaissent pas dans le plan.

Tableau 3.1 : Les boutons de la barre d'outils Mode Plan.

Bouton	Nom	Fonction
	Hausser d'un niveau	Hausse le paragraphe au niveau supérieur
	Abaisser	Abaisse le paragraphe d'un niveau
	Monter	Déplace le paragraphe vers le haut
	Descendre	Déplace le paragraphe d'un niveau vers le bas
	Réduire	Réduit l'affichage du contenu des diapositives sélectionnées
	Développer	Développe le contenu des diapositives sélectionnées
	Réduire tout	Réduit toute la présentation
	Développer tout	Développe toute la présentation
	Diapositive de résumé	Crée une diapositive de type résumé (ou sommaire)
	Afficher la mise en forme	Affiche ou cache la mise en forme du texte

Vous pouvez supprimer, couper, copier ou dupliquer une diapositive complète :

✔ **Supprimer :** Pour supprimer une diapositive, sélectionnez-la puis appuyez sur la touche Suppr ou choisissez Edition/Supprimer la diapositive. Vous pouvez également cliquer sur la diapositive avec le bouton droit de la souris et, dans le menu contextuel, exécuter cette même commande.

✔ **Couper ou copier :** Pour couper ou copier une diapositive dans le Presse-papiers, sélectionnez-la et appuyez sur Ctrl+X (Couper) ou Ctrl+C (Copier). Vous pouvez déplacer le curseur vers n'importe quel emplacement du plan et appuyer sur Ctrl+V pour coller la diapositive depuis le Presse-papiers. Vous pouvez également cliquer sur la diapositive avec le bouton droit de la souris et, dans le menu contextuel, sélectionner Copier ou Couper.

✔ **Dupliquer :** Pour dupliquer une diapositive, sélectionnez-la et choisissez Edition/Dupliquer ou appuyez sur Ctrl+D : une copie de la diapositive sélectionnée se place immédiatement après elle. (En fait, vous n'avez pas besoin de sélectionner toute la diapositive pour la dupliquer. Cliquez n'importe où dans le titre de la diapositive ou du texte courant.)

Sélectionner et modifier un paragraphe

Vous pouvez sélectionner et modifier tout un paragraphe. Cliquez simplement sur la puce du paragraphe à sélectionner ou triple-cliquez n'importe où dans le texte. Pour supprimer tout un paragraphe, et ceux qui lui sont subordonnés, sélectionnez-le et appuyez sur la touche Suppr de votre clavier.

Pour couper ou copier tout un paragraphe vers le Presse-papiers avec ses paragraphes subordonnés, sélectionnez-le et appuyez sur Ctrl+X (Couper) ou Ctrl+C (Copier). Vous pouvez ensuite utiliser Ctrl+V pour coller le paragraphe dans n'importe quel endroit de la présentation.

Hausser et abaisser des paragraphes

Hausser un paragraphe consiste à le placer à un niveau hiérarchique supérieur dans le plan.

Abaisser un paragraphe est exactement l'inverse : le paragraphe descend d'un niveau hiérarchique dans le plan.

Pour hausser un paragraphe, placez le curseur n'importe où dans le paragraphe concerné et cliquez sur le bouton Hausser d'un niveau de la barre d'outils Mode Plan. Une autre solution consiste à cliquer-déplacer la puce du paragraphe vers la gauche.

Pour abaisser un paragraphe, placez le curseur n'importe où dans son texte et cliquez sur le bouton Abaisser de la barre d'outils Mode Plan. Une alternative consiste à glisser-déplacer la puce du paragraphe vers la droite.

Si vous abaissez le titre d'une diapositive, tout le contenu de la diapositive devient un niveau de celle qui la précède. En d'autres termes, le titre de la diapositive devient un point de la diapositive qui le précède.

Pour des questions de facilité, nous déconseillons d'abaisser et de hausser des paragraphes avec la souris.

Ajouter un nouveau paragraphe

Pour ajouter un nouveau paragraphe à une diapositive en mode Plan, placez le curseur à la fin du paragraphe après lequel vous voulez insérer un nouveau paragraphe et appuyez sur la touche Entrée. PowerPoint crée un nouveau paragraphe au même niveau que le paragraphe qui le précède.

Si vous placez le curseur au début du paragraphe et appuyez sur la touche Entrée, le nouveau paragraphe est inséré à gauche du point d'insertion. Si vous placez le point d'insertion au centre du paragraphe et appuyez sur Entrée, vous le scindez en deux parties.

Après avoir ajouté un nouveau paragraphe, vous pouvez en modifier le niveau directement dans le plan. Pour cela, haussez ou abaissez le nouveau paragraphe. Pour créer un sous-point dans un point principal, placez le curseur à la fin du point principal et appuyez sur la touche Entrée. Ensuite, abaissez le nouveau paragraphe en appuyant sur la touche Tab.

Ajouter une nouvelle diapositive

En mode Plan, il est possible d'ajouter une nouvelle diapositive de plusieurs manières :

- Haussez un paragraphe existant au niveau le plus élevé. Cette méthode scinde une diapositive en deux.

- Ajoutez un nouveau paragraphe et haussez-le au niveau le plus élevé.

- Placez le pointeur dans le titre d'une diapositive et appuyez sur Entrée. Cette méthode crée une nouvelle diapositive avant la diapositive en cours. En fonction de la position du curseur dans le titre, le texte reste sur la diapositive en cours, apparaît sur la nouvelle diapositive ou est réparti sur les deux diapos.

- Placez le point d'insertion dans le texte courant de la diapositive, et appuyez sur la touche Entrée. Cette méthode crée une nouvelle diapositive après la diapo en cours. La position du curseur dans la diapositive existante importe peu ; la nouvelle diapo est toujours créée après celle en cours. (Le point d'insertion doit être dans le texte courant pour que cette méthode fonctionne. Si vous placez le point d'insertion dans le titre de la diapositive et appuyez sur Ctrl+Entrée, le curseur passe au texte courant sans créer de nouvelle diapo.)

- Placez le point d'insertion n'importe où dans la diaposi-tive et choisissez Insertion/Nouvelle diapositive. Vous pouvez également utiliser le raccourci Ctrl+M ou cliquer sur le bouton Nouvelle diapositive.

- Sélectionnez une diapositive existante en cliquant sur son icône dans le mode Plan ou en triple-cliquant sur son titre. Dupliquez-la via Edition/Dupliquer ou en appuyant sur le raccourci Ctrl+D.

Puisque le plan se focalise sur le contenu plutôt que sur la mise en page, la nouvelle diapositive hérite de la mise en forme Liste à puces. Elle inclut un titre et du texte formaté avec des puces. Pour modifier la mise en page d'une nouvelle diapositive, ouvrez le volet Appliquer la mise en page de diapositives via

Format/Mise en page des diapositives. (Ce volet apparaît dès que vous insérez une nouvelle diapositive via Insertion/ Nouvelle diapositive, en exécutant le raccourci Ctrl+M ou en cliquant sur le bouton Nouvelle diapositive.)

Déplacer du texte de haut en bas

Pour déplacer le texte de haut en bas, commencez par le sélectionner. Pour déplacer un paragraphe, cliquez sur sa puce. Pour déplacer une diapositive, cliquez sur son icône. Pour déplacer le texte sélectionné vers le haut, cliquez sur le bouton Monter de la barre d'outils Mode Plan. Pour déplacer le texte sélectionné vers le bas, cliquez sur le bouton Descendre de la barre d'outils Mode Plan. Vous pouvez également déplacer du texte à la souris. Placez le pointeur à côté de la puce du paragraphe à déplacer. Il prend la forme d'une flèche à quatre têtes. Cliquez et faites glisser le pointeur vers le haut ou le bas. Une ligne horizontale montre la position exacte de la sélection. Lorsque cette dernière se trouve au bon endroit, relâchez le bouton droit de la souris. Le texte y prend place.

Faites attention lorsque vous effectuez un déplacement dans une diapositive qui a plusieurs niveaux de texte courant. Observez bien la position de la ligne horizontale quand vous faites glisser la sélection ; toute la sélection est insérée à cette position, ce qui peut entraîner une rupture des sous-points. Si le résultat ne vous satisfait pas, faites-vous rembourser ! Non, je plaisante ! Appuyez immédiatement sur Ctrl+Z ou cliquez sur le bouton Annuler.

Développer et réduire le plan

Si votre présentation contient de nombreuses diapositives, la structure de la présentation devient difficile à appréhender. Heureusement, PowerPoint permet de *réduire* le plan pour n'afficher que les titres. La réduction d'un plan ne supprime pas le texte courant, mais se contente de le masquer pour que vous puissiez focaliser votre attention sur l'ordre des diapositives.

Développer une présentation restaure le texte courant préalablement masqué par une réduction du plan. Vous pouvez réduire et développer une présentation complète ou simplement quelques diapositives.

Pour réduire la totalité d'une présentation, cliquez sur le bouton Réduire tout de la barre d'outils Mode Plan.

Pour développer une présentation, cliquez sur le bouton Développer tout de la barre d'outils Mode Plan ou appuyez sur Alt+Maj+9.

Pour réduire une seule diapositive, placez-y le point d'insertion, puis cliquez sur le bouton Réduire de la barre d'outils Mode Plan ou appuyez sur Alt+Maj+- (signe moins). Vous pouvez également passer par le menu contextuel de la diapositive et choisir Réduire.

Pour développer le contenu d'une diapositive, placez-y le point d'insertion, puis cliquez sur le bouton Développer de la barre d'outils Mode Plan, ou appuyez sur Alt+Maj++ (signe plus). Vous pouvez aussi exécuter la commande Développer du menu contextuel de la diapositive (accessible par un clic droit).

Créer un résumé ou sommaire

Une superbe fonction a été introduite dans PowerPoint 97 que l'on retrouve dans PowerPoint 2003 sous la forme du bouton Diapositive de résumé. Elle crée automatiquement une diapositive de résumé qui reprend tous les titres des diapositives de votre présentation. Pour utiliser cette fonction :

1. **Sélectionnez les diapositives dont le titre doit apparaître dans le résumé (ou sommaire).**

   Pour inclure toute la présentation, appuyez sur Ctrl+A.

2. **Cliquez sur le bouton Diapositive de résumé de la barre d'outils Mode Plan.**

   Si la barre d'outils n'est pas visible, choisissez Affichage/ Barres d'outils/Mode Plan.

Une diapositive est créée au début de la présentation, comme le montre la Figure 3.2.

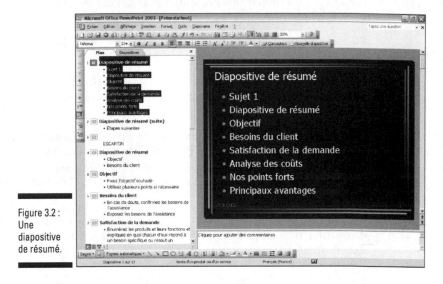

Figure 3.2 :
Une
diapositive
de résumé.

3. Saisissez un titre dans la diapositive de résumé.

Sauf si vous adorez le titre par défaut "Diapositive de résumé".

Chapitre 4
Le faire avec style

L e correcteur orthographique de PowerPoint agit comme un maître d'école qui jette un œil par-dessus l'épaule de ses élèves lors d'une dictée. Au moindre mot mal orthographié, c'est la sanction. Mais PowerPoint est plus accommodant qu'un maître d'école, car il ne vous juge pas, ne vous frappe pas, ne vous punit pas et, surtout, ne vous met pas une mauvaise note.

Un correcteur sur le dos

Le correcteur de PowerPoint n'attend pas que vous ayez terminé un document pour entrer en action. Il surveille tous vos faits et gestes orthographiques. Dès qu'il détecte une faute, il y va de son stylo pour la souligner et attirer votre attention dessus, comme l'illustre la Figure 4.1.

Sur la Figure 4.1, le mot *klient* est souligné. A partir de cet instant, trois options s'offrent à vous :

▶ Vous pouvez saisir directement le mot dans la zone de texte.

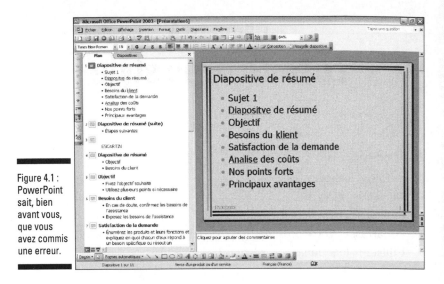

Figure 4.1 :
PowerPoint
sait, bien
avant vous,
que vous
avez commis
une erreur.

✔ Vous pouvez solliciter l'aide de PowerPoint en cliquant
  sur le mot avec le bouton droit de la souris. Dans le menu
  qui apparaît, sélectionnez la proposition correspondant à
  votre mot. Si aucune ne correspond, procédez à une
  correction manuelle du mot mal orthographié.

✔ Vous pouvez ignorer la faute de frappe. Parfois les
  erreurs sont volontaires, pour faire un jeu de mots ou
  comme ici pour démontrer l'efficacité d'un correcteur
  orthographique.

Une correction après délit

Les étapes suivantes montrent comment vérifier l'orthographe
d'un document :

1. **Ouvrez la présentation à vérifier.**

2. **Lancez le vérificateur orthographique.**

   Cliquez sur le bouton Orthographe de la barre d'outils
   Standard, appuyez sur la touche F7 ou choisissez Outils/
   Orthographe.

3. Tournez-vous les pouces.

PowerPoint cherche les erreurs. Soyez patient !

4. Ne vous formalisez pas si PowerPoint trouve une faute d'orthographe.

Dès qu'une erreur est découverte, PowerPoint la signale en ouvrant la boîte de dialogue Orthographe. Le mot inconnu de PowerPoint s'affiche dans le champ Absent du dictionnaire et des suggestions sont proposées juste en dessous, comme le montre la Figure 4.2.

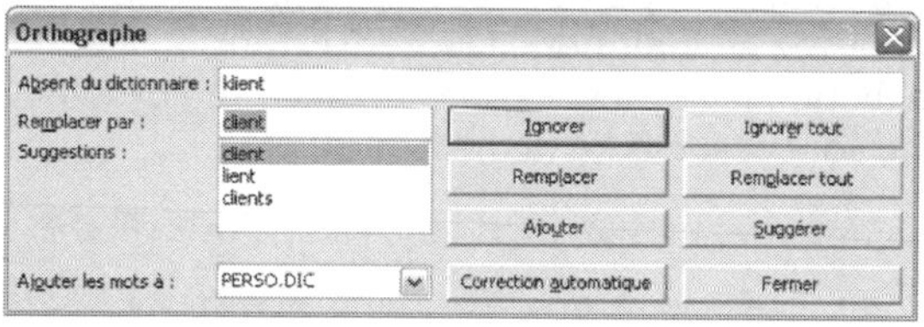

Figure 4.2 :
La honte !
PowerPoint a
trouvé une
faute d'ortho-
graphe.

5. Corrigez ou riez au nez de PowerPoint.

Si vous êtes d'accord sur l'incorrection du mot, procédez à son remplacement en choisissant l'une des propositions de PowerPoint. Parfois, PowerPoint ne propose rien, car il n'a aucun terme qui se rapproche du mot inconnu. Vous verrez plus tard que PowerPoint connaît beaucoup de choses, mais pas tout.

Si le mot est correct mais inconnu de PowerPoint et que vous ne souhaitez pas l'entrer dans son dictionnaire, cliquez sur Ignorer tout. Désormais, si PowerPoint rencontre ce même terme dans votre document en cours d'édition, il ne s'arrêtera pas dessus. Cela ne vaut que pour la session de travail en cours.

6. Répétez les étapes 4 et 5 jusqu'à ce que PowerPoint termine la vérification.

Quand vous lisez le message :

```
La vérification de l'orthographe est terminée.
```

c'est fini !

PowerPoint commence la vérification à partir de la première diapositive. Il vérifie les titres, le texte courant, les notes et les objets textuels ajoutés aux diapositives. Il ne vérifie pas les objets incorporés comme les représentations graphiques et les schémas.

Si PowerPoint ne fait aucune suggestion, c'est qu'il ne voit pas ce que vous avez voulu écrire. PowerPoint dispose d'un dictionnaire assez complet. "Assez" ne veut pas dire sans faille. PowerPoint ne connaît pas tous les mots existants. Il peut donc considérer comme une erreur un mot parfaitement orthographié, mais qui n'appartient pas à son dictionnaire. Dans ce cas, vous pouvez lui indiquer d'ignorer l'erreur ou ajouter le terme à son dictionnaire. Les boutons de la boîte de dialogue Orthographe sont assez évocateurs à ce sujet.

Pour ajouter un mot au dictionnaire de PowerPoint, cliquez sur Ajouter.

Le dictionnaire personnalisé

Le vérificateur orthographique de PowerPoint s'appuie sur deux dictionnaires : un dictionnaire standard et un dictionnaire personnalisé. Le premier contient des milliers de mots généralement utilisés dans le langage courant ; le second les mots ajoutés par l'utilisateur quand il clique sur le bouton Ajouter de la boîte de dialogue Orthographe.

Le dictionnaire personnalisé est partagé avec d'autres programmes Microsoft comme Word. Ces applications partagent le même dictionnaire que PowerPoint. Par conséquent, si vous ajoutez un mot depuis Word, il bénéficiera à PowerPoint.

Que se passe-t-il si vous ajoutez accidentellement un mot au dictionnaire ? Vous pouvez avoir de sérieux problèmes par la suite. Vous avez le choix entre demander à l'Académie d'ajouter votre mot au dictionnaire de la langue française et supprimer le mot du fichier PERSO.DIC. Le plus simple est de procéder depuis Word. Dans ce programme, cliquez sur Outils/Options, puis cliquez sur l'onglet Grammaire et orthographe. Sélectionnez PERSO.DIC et cliquez sur le bouton Modifier pour en éditer le contenu.

Utiliser le thésaurus

Il s'agit d'une nouvelle fonction de PowerPoint 2003. Un mot vous échappe ? Vous répétez trop souvent le même terme ? Utilisez le dictionnaire des synonymes :

1. **Cliquez sur un mot avec le bouton droit de la souris. Dans le menu contextuel, choisissez Synonymes.**

   Un menu local propose des mots de substitution.

2. **Sélectionnez le terme adéquat.**

   PowerPoint effectue la substitution.

Si vous choisissez l'option Dictionnaire des synonymes, le volet Office l'affiche, comme sur la Figure 4.3. Par exemple, si vous cherchez un équivalent du mot *objectif*, PowerPoint affiche une liste de synonymes où vous faites tranquillement votre choix. Si un terme se rapproche de ce que vous cherchez, cliquez dessus. PowerPoint affiche des synonymes de ce mot initialement pressenti.

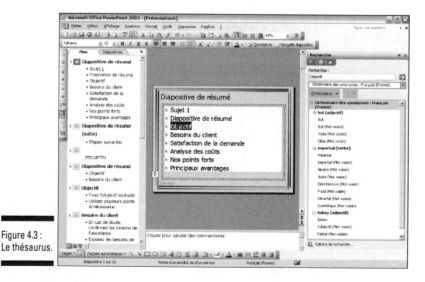

Figure 4.3 :
Le thésaurus.

Une bonne capitalisation

PowerPoint dispose d'une fonction qui permet de placer correctement les majuscules dans le texte de votre document. Voici comment l'utiliser :

1. **Sélectionnez le texte à mettre en majuscules.**

2. **Choisissez Format/Modifier la casse.**

   La boîte de dialogue Changer la casse apparaît, comme sur la Figure 4.4.

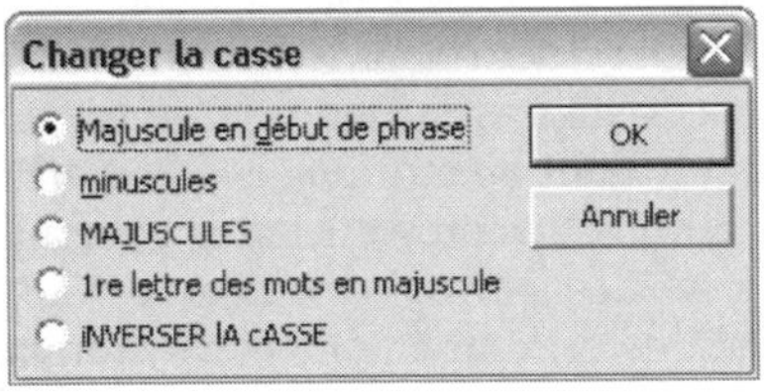

Figure 4.4 :
La boîte de
dialogue
Changer la
casse.

3. **Etudiez les options proposées, puis cliquez sur celle qui répond à vos besoins.**

   Les options de casse sont :

   • **Majuscule en début de phrase :** La première lettre du premier mot d'une phrase sera toujours en majuscule.

   • **minuscules :** Tout les mots sont écrits en minuscules.

   • **MAJUSCULES :** Tous les mots sont écrits en majuscules.

   • **1re lettre des mots en majuscule :** La première lettre de chaque mot est capitalisée. PowerPoint est assez intelligent pour laisser certains mots comme "à" et "le" en minuscules, mais je vous conseille de vérifier pour être certain qu'il n'a pas été fantaisiste dans son appréciation.

   • **iNVERSER lA cASSE :** Cette option transforme les majuscules en minuscules et les minuscules en majuscules.

4. Cliquez sur OK ou appuyez sur Entrée et vérifiez le résultat.

Les titres auront presque toujours la première lettre de leurs mots en majuscule. Le premier niveau de puces d'une diaposi-tive peut utiliser la casse 1re lettre des mots en majuscule ou Majuscule en début de phrase.

Evitez autant que possible les majuscules. Le texte est pénible à lire et visuellement agressif.

Les options de vérification

Le vérificateur de PowerPoint fait bien plus que vérifier l'orthographe : il peut vérifier le style pour voir si vous utilisez à bon escient la ponctuation et la capitalisation, pour vous indiquer que les diapositives contiennent trop de puces ou que le texte est trop petit, etc.

Malheureusement, les fonctions de vérification de style de PowerPoint sont désactivées par défaut. Vous pouvez les activer en suivant ces étapes :

1. Choisissez Outils/Options.

La boîte de dialogue Options s'affiche (Figure 4.5).

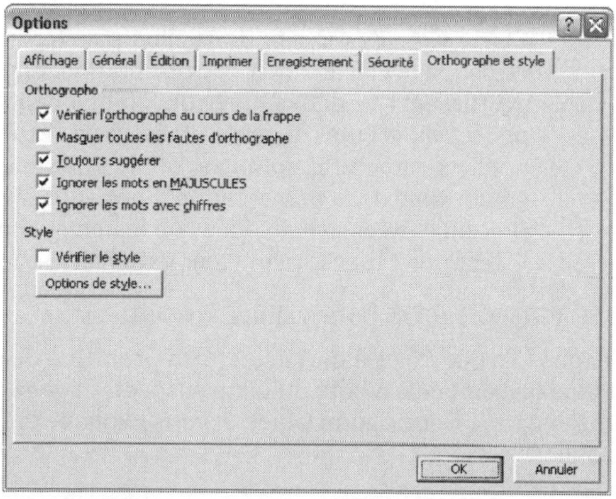

Figure 4.5 :
La boîte de
dialogue
Options
permet de
paramétrer
les
vérificateurs.

Options							
Affichage	Général	Édition	Imprimer	Enregistrement	Sécurité	Orthographe et style	

Orthographe
- ☑ Vérifier l'orthographe au cours de la frappe
- ☐ Masquer toutes les fautes d'orthographe
- ☑ Toujours suggérer
- ☑ Ignorer les mots en MAJUSCULES
- ☑ Ignorer les mots avec chiffres

Style
- ☐ Vérifier le style
- Options de style...

OK   Annuler

2. **Cliquez sur l'onglet Orthographe et style.**

3. **Cochez la case Vérifier le style.**

4. **Cliquez sur le bouton Options de style et définissez les paramètres de style qui vous conviennent.**

   La boîte de dialogue Options de style a deux onglets dont les options permettent de vérifier le style des éléments suivants :

   • **Casse et ponctuation finale :** Ces paramètres, illustrés Figure 4.6, assurent la constance de votre capitalisation et de votre ponctuation.

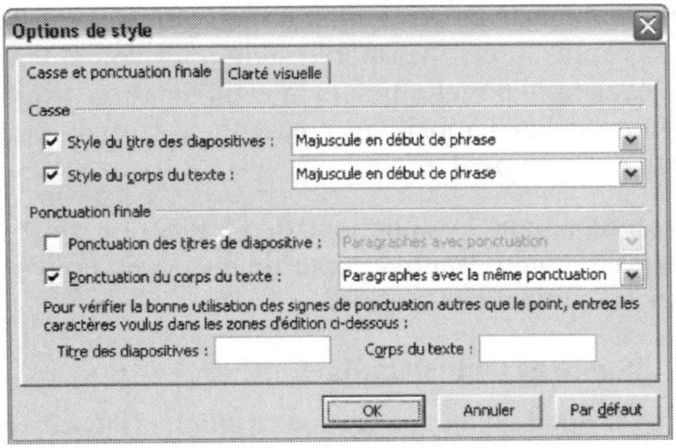

Figure 4.6 : Les paramètres des majuscules et de la ponctuation.

   • **Clarté visuelle :** Ces options, illustrées Figure 4.7, veillent à la clarté de votre présentation. Elles vous avertissent des diapositives qui contiennent trop de polices différentes, trop de titres, et un texte courant dont les caractères sont trop petits pour une lecture confortable de la présentation. Elles vous signalent la présence excessive de puces ou les diapositives dont le texte sort du cadre qui leur est réservé.

5. **Cliquez sur OK pour valider vos options.**

Chaque fois que PowerPoint détecte un problème de style, il allume une ampoule à côté du texte suspect. Cliquez dessus pour ouvrir le Compagnon Office. Il vous explique la nature du problème.

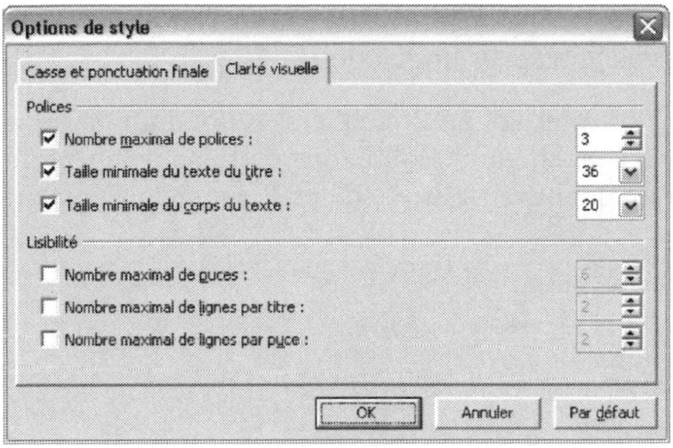

Figure 4.7 :
Les paramè-
tres Clarté
visuelle.

Le style n'est vérifié que si vous activez le Compagnon Office. Vous obtiendrez plus d'informations à ce sujet au Chapitre 8.

Utiliser la fonction de correction automatique

PowerPoint dispose d'une fonction de correction automatique capable de vérifier l'orthographe en cours de frappe et de corriger immédiatement les erreurs. Par exemple, si vous saisissez *téh* à la place de *thé*, PowerPoint corrige immédiatement la faute. Si vous oubliez de mettre en majuscule la première lettre du premier mot d'une phrase, PowerPoint comble automatiquement cette lacune.

Chaque fois que PowerPoint effectue une correction qui ne vous convient pas, appuyez immédiatement sur Ctrl+Z. Je sais, il faut être vigilant !

Si vous placez le point d'insertion sur le mot qui vient d'être corrigé, une petite ligne apparaît sous la première lettre. Placez-y le pointeur de la souris, un bouton s'affiche. Cliquez sur ce bouton pour afficher un menu local dans lequel vous indiquerez à PowerPoint de ne plus effectuer la correction du mot. Si PowerPoint lui substitue un autre mot que celui désiré, choisissez, dans ce même menu, Contrôler les options de correction automatique. La boîte de dialogue Correction automatique apparaît. Configurez les remplacements nécessaires à vos habitudes linguistiques.

Pour contrôler la fonction de correction automatique, vous pouvez également choisir Outils/Options de correction automatique qui ouvre la boîte de dialogue de la Figure 4.8.

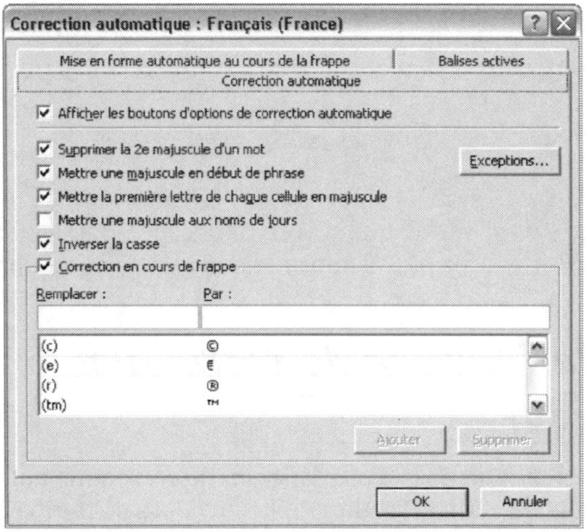

Figure 4.8 :
La boîte de dialogue
Correction automatique.

Comme vous pouvez le voir, la boîte de dialogue Correction automatique contient des cases à cocher qui gèrent le fonctionnement de la correction :

✔ **Afficher les boutons d'options de correction automatique :** Cette option affiche le bouton de correction automatique sous les mots corrigés automatiquement. Il permet d'annuler une modification ou de demander à PowerPoint de cesser la modification d'un mot spécifique.

✔ **Supprimer la 2e majuscule d'un mot :** Recherche les mots qui ont deux majuscules initiales, et transforme la seconde en minuscule. Par exemple, si vous saisissez *ENsemble*, PowerPoint corrige automatiquement en *Ensemble*. Cependant, si vous saisissez une troisième

majuscule, PowerPoint suppose que c'est un acte volon-
taire et n'effectue aucune correction.

🖝 **Mettre une majuscule en début de phrase :** Met automatiquement en majuscule la première lettre d'un mot
commençant une phrase.

🖝 **Mettre la première lettre de chaque cellule en majuscule :** Met automatiquement en majuscule la première
lettre du premier mot d'une cellule d'un tableau.

🖝 **Mettre une majuscule aux noms de jours :** Lundi, Mardi,
Mercredi… il y en a sept comme ça.

🖝 **Inverser la casse :** C'est une fonction très sympathique. Si
PowerPoint remarque que vous capitalisez à l'envers de
la normale, il suppose que vous avez appuyé accidentellement sur la touche de verrouillage des majuscules du
clavier. Il déverrouille les majuscules et rétablit le bon
ordre des choses.

🖝 **Correction en cours de frappe :** Cette option est le cœur
de la correction automatique. Elle consiste en une liste de
mots fréquemment mal orthographiés. Si vous faites
toujours la même faute au même mot, par exemple si
vous écrivez systématiquement *vraiement* au lieu de
vraiment, il suffit de saisir *vraiement* dans le champ
Remplacer et *vraiment* dans le champ Par. Cliquez sur
Ajouter. A partir de cet instant, PowerPoint remplacera
ce mot sans que vous vous doutiez de rien. PowerPoint
possède une liste de remplacements prédéfinis que vous
pouvez enrichir des vôtres, mais que vous pouvez
également modifier.

Ajoutez à la liste tous les mots qui vous posent problème !
Mieux : pour accélérer votre saisie de texte, définissez des
abréviations. Par exemple, je trouve que le mot "c'est-à-dire"
est long à écrire. J'ai donc défini "c'est-à-dire" comme remplacement de "cad". Ainsi, dès que je tape "cad" et appuie sur la
barre d'espace, PowerPoint écrit "c'est-à-dire" à ma place. J'en
ai une bonne cinquantaine dans ce genre.

La fonction de correction automatique inclut plusieurs options
de mise en forme qui appliquent automatiquement des formats

en cours de frappe. Pour définir ces options, cliquez sur l'onglet Mise en forme automatique au cours de la frappe. Les options sont présentées Figure 4.9. Elles contrôlent la mise en forme d'éléments comme les guillemets, les fractions, les ordinaux et j'en passe.

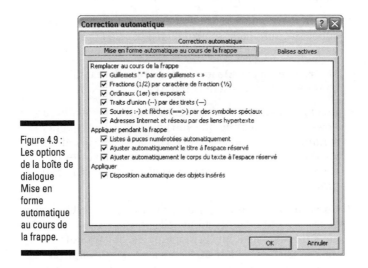

Figure 4.9 :
Les options
de la boîte de
dialogue
Mise en
forme
automatique
au cours de
la frappe.

Utiliser des balises actives

Pour activer les balises actives, cliquez sur Outils/Options de correction automatique. Dans la boîte de dialogue, cliquez sur l'onglet Balises actives. Vous accédez à un contenu comme celui de la Figure 4.10. Vous pouvez alors indiquer le type de balises actives que vous souhaitez voir PowerPoint capable de trouver. Cela peut inclure la date, le nom des personnes, les numéros de téléphone et les symboles financiers.

Si la détection est activée, dès que PowerPoint en rencontre une, il la souligne de pointillés violets. Si vous approchez le pointeur de la souris du texte ainsi balisé, un bouton apparaît à sa proximité. Par exemple, le menu d'un symbole financier inclut des commandes qui permettent d'obtenir des cotations boursières, un rapport commercial ou des informations récentes sur la société.

Figure 4.10 :
Les options
des balises
actives.

Chapitre 5
N'oubliez pas vos notes !

*U*ne des fonctions les plus rassurantes de PowerPoint est la faculté d'insérer des commentaires qui vous aident à bien préparer une présentation. Ces commentaires peuvent être mot pour mot ce que vous souhaitez dire à l'auditoire ou quelques notes qui rappellent à votre mémoire le contenu de votre propos.

Si votre ordinateur est matériellement configuré pour, PowerPoint permet de diffuser vos diapositives sur un écran et d'afficher vos notes sur un moniteur. Personne d'autre que vous ne peut les voir. Pour plus d'informations à ce sujet, lisez la section "Afficher des commentaires sur un autre moniteur", plus loin dans ce chapitre.

Comprendre la notion de "commentaire"

Les *commentaires* sont des notes attachées à vos diapositives. Ils n'apparaissent pas pendant la diffusion du diaporama,

puisque PowerPoint les affiche séparément. Chaque diapositive de votre présentation dispose de sa propre page de notes.

En mode d'affichage Normal, les notes sont cachées en bas de
l'écran dans un volet autonome appelé Commentaires. Pour
travailler avec des notes en mode Normal, vous devez agrandir
la zone de commentaires afin de disposer d'une place suffisante pour en assurer la saisie. Pour plus d'informations,
consultez la section suivante "Ajouter des commentaires à une
diapositive".

PowerPoint dispose d'un affichage spécial pour les commentaires. Vous y accédez via Affichage/Page de commentaires. La
Figure 5.1 montre une diapositive affichée en mode Page de
commentaires. Chacune de ces pages consiste en une version
réduite de la diapositive et en une zone de commentaires.

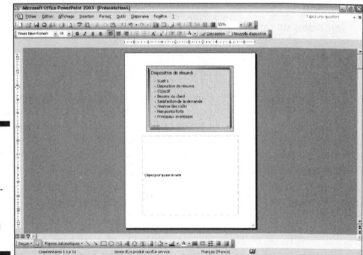

Figure 5.1 :
L'affichage
en mode
Page de
commentai-
res permet
de voir le
contenu de
vos notes.

Ajouter des commentaires à une diapositive

Voici comment ajouter des commentaires à une diapositive :

1. **En mode Normal, affichez la diapositive où vous désirez ajouter des notes.**

2. **Cliquez et faites glisser la bordure du volet Commentaires pour disposer de davantage de place.**

3. **Cliquez dans la zone de saisie, où vous pouvez lire** `Cliquez pour ajouter des commentaires.`

4. **Saisissez vos notes.**

La Figure 5.2 montre une diapositive avec la zone de saisie des commentaires largement agrandie. Vous pouvez y lire quelques commentaires.

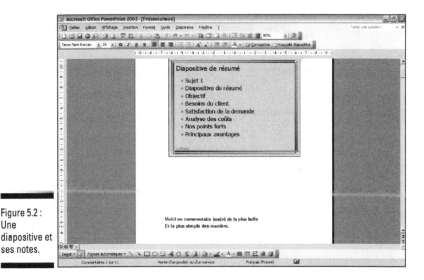

Figure 5.2 :
Une
diapositive et
ses notes.

Ajouter une page de commentaires à une diapositive

PowerPoint ne dispose pas d'une fonction qui permette d'ajouter plusieurs pages de commentaires à une diapositive. Cependant, les étapes suivantes montrent comment une petite astuce permet d'y parvenir :

1. **Créez immédiatement une copie de la diapositive qui suit celle exigeant deux pages de commentaires.**

   Pour dupliquer la diapositive, affichez-la en mode Normal, puis choisissez Insertion/Dupliquer la diapositive.

2. **Basculez en mode Page de commentaires.**

   La page de commentaires de la duplication apparaît.

3. **Supprimez la diapositive qui se trouve au-dessus de la zone de commentaires.**

   Pour cela, cliquez sur l'objet (la diapositive) et appuyez sur la touche Suppr.

4. **Agrandissez la zone de commentaires pour qu'elle remplisse la page.**

   Cliquez sur la zone de commentaires pour la sélectionner. Faites glisser vers le haut la poignée située au centre de la bordure supérieure de la zone.

5. **Saisissez les nouvelles notes.**

   Ajoutez un en-tête comme "Suite de la diapositive 23" en haut de la page pour vous souvenir que cette partie est bien la suite des notes attachées à la précédente diapositive.

6. **Repassez en mode Normal.**

   Cliquez sur le bouton Mode Normal ou choisissez Affichage/Normal.

7. **Choisissez Diaporama/Masquer la/les diapositive(s).**

   Cette commande cache la diapositive, ce qui signifie qu'elle n'est pas affichée par le diaporama, donc qu'elle ne sera pas vue par votre auditoire.

Le résultat de cette astuce est que vous disposez de deux pages de commentaires pour une seule diapositive. La seconde page de commentaires n'a pas d'image d'une diapositive et n'est pas incluse dans le diaporama.

Si vous imprimez votre présentation sur des transparents, vous devez décocher l'option Imprimer les diapositives masquées. Ainsi, lesdites diapos ne seront pas imprimées. Veillez à réactiver cette option quand vous souhaiterez imprimer les notes, sinon les commentaires ajoutés par cette méthode ne seront pas imprimés. Or, si vous créez des commentaires, c'est bien pour les lire !

Réfléchissez à deux fois avant de créer une seconde page de commentaires. En effet, n'est-il pas plus judicieux de scinder le contenu de la diapositive en deux pour clarifier votre exposé ?

Ajouter une nouvelle diapositive en mode Page de commentaires

Si vous travaillez en mode Page de commentaires et réalisez qu'il est nécessaire d'ajouter une nouvelle diapositive, inutile de retourner en mode Normal : cliquez simplement sur le bouton Nouvelle diapositive de la barre d'outils Standard ou choisissez Insertion/Nouvelle diapositive.

Cette action vous fait passer en mode Normal pour modifier le contenu de la diapositive insérée et choisir une mise en page.

Imprimer des pages de commentaires

Si votre ordinateur ne permet pas de projeter vos diapositives sur un écran, vous pouvez utiliser un autre moniteur ou imprimer vos commentaires sur papier pour les lire pendant la diffusion de la présentation. Voici comment procéder :

1. **Choisissez Fichier/Imprimer.**

   La boîte de dialogue Imprimer apparaît.

2. **Dans la liste Imprimer, choisissez Pages de commentaires.**

3. **Vérifiez que Imprimer les diapositives masquées est coché.**

4. **Cliquez sur OK ou appuyez sur la touche Entrée.**

Si vous avez imprimé des diapositives sur des transparents, n'oubliez pas de recharger votre imprimante avec du papier standard. Cela m'étonnerait que vous vouliez dépenser beaucoup d'argent en imprimant vos pages de commentaires sur des transparents.

Pour plus d'informations sur l'impression, consultez le Chapitre 6.

Afficher des commentaires sur un autre moniteur

Pour activer cette fonction, choisissez Diaporama/Paramètres du diaporama. La boîte de dialogue du même nom apparaît. Dans la zone Plusieurs moniteurs, choisissez l'écran secondaire. Revenez en mode d'affichage des pages de commentaires, et lancez le diaporama pour constater qu'il s'affiche sur le second moniteur. Si un second écran n'est pas connecté à votre ordinateur, ce paramètre est indisponible (grisé).

Réflexions sur les commentaires

Cette section donne quelques idées pour vous aider à créer des pages de commentaires :

✔ Si vous diffusez une importante présentation à un auditoire, considérez l'utilisation des commentaires pour parfaire le discours à tenir.

✔ Utilisez des pages de commentaires pour des anecdotes, des plaisanteries ou autres apartés qui détendent l'atmosphère d'une présentation.

✔ Si vous préférez les commentaires écrits sur une feuille de papier, imprimez vos notes. Faites-les ensuite disparaître du diaporama.

✔ Envisagez de distribuer certaines notes à votre auditoire. La commande Fichier/Imprimer permet d'imprimer deux, trois ou six diapositives par page. C'est une aide visuelle qui appuie la pertinence de votre présentation.

Chapitre 6

Imprimer
votre présentation

. . . .

Dans ce chapitre :

▶ Imprimer des diapositives.

▶ Imprimer des documents.

▶ Imprimer des commentaires.

▶ Imprimer un plan.

▶ Prévisualiser une impression.

. . . .

L' impression d'une présentation PowerPoint diffère un
peu de celle d'un document Word dans la mesure où
certaines options de la boîte de dialogue sont propres aux
diaporamas.

La boîte de dialogue Imprimer

Pour un contrôle précis de l'impression, vous devez passer par
la boîte de dialogue Imprimer. Elle met à votre disposition
diverses options d'impression de tout ou partie d'une présentation, et donne accès aux paramètres de votre imprimante.
Affichez la boîte de dialogue par un clic sur Fichier/Imprimer
ou en appuyant sur Ctrl+P. La boîte de dialogue Imprimer
surgit comme sur la Figure 6.1.

Une fois que vous avez défini vos options d'impression, cliquez
sur OK ou appuyez sur la touche Entrée pour lancer l'impression.

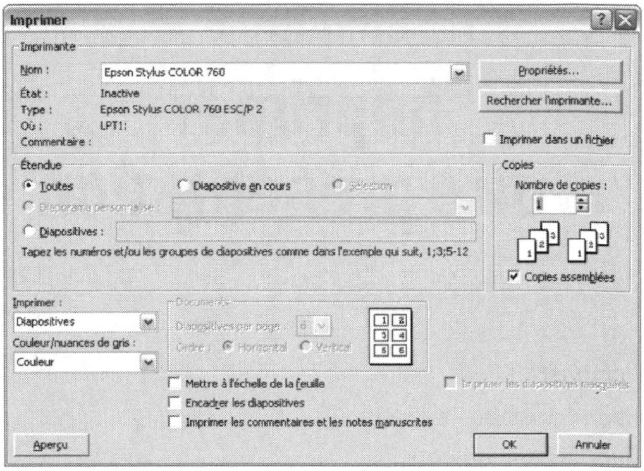

Figure 6.1 :
La boîte de
dialogue
Imprimer.

L'impression peut demander du temps. Pour ne pas vous laisser dans l'expectative, PowerPoint affiche une barre de progression afin de savoir où en est la préparation de l'impression et l'impression elle-même.

Changer d'imprimante

Peut-être faites-vous partie de ces nantis qui possèdent plusieurs imprimantes ? Vous devez dans ce cas en sélectionner une dans le champ Nom de la section Imprimante. Chaque imprimante doit être connectée à l'ordinateur pour fonctionner correctement. Si vous êtes en délicatesse avec votre imprimante et sa connexion, lisez aussi *Windows XP pour les Nuls*, *Windows Me pour les Nuls* ou *Windows 98 pour les Nuls*, selon le système d'exploitation que vous utilisez.

Imprimer des parties d'une présentation

Quand vous utilisez la commande Imprimer pour la première fois, l'option Toutes est activée. Cela signifie que, si vous lancez l'impression, vous obtiendrez la totalité de votre présentation sur des feuilles de papier individuelles. Les autres options de la section Etendue permettent de sélectionner des

diapositives spécifiques à imprimer. Vous disposez de quatre
autres possibilités :

✓ **Diapositive en cours :** Imprime la diapositive actuellement affichée dans PowerPoint. Avant d'invoquer cette
commande d'impression, vérifiez que la diapositive à
imprimer est bien visible dans PowerPoint. Cliquez
ensuite sur OK. Cette option est utile lorsque vous avez
modifié une ou deux diapositives dans une présentation
déjà imprimée en totalité.

✓ **Sélection :** Imprime la partie de la présentation que vous
avez sélectionnée avant d'exécuter la commande d'impression. Cette option est facile à utiliser en mode Plan
ou Trieuse de diapositives. Commencez par sélectionner
les diapositives à imprimer. Il suffit pour cela de maintenir le bouton de la souris enfoncé et de faire glisser le
pointeur sur les diapositives concernées. Invoquez
ensuite la commande Imprimer, activez l'option Sélection
et cliquez sur OK. (Notez que si vous ne sélectionnez
aucune diapositive avant d'ouvrir la boîte de dialogue
Imprimer cette option est indisponible.)

✓ **Diaporama personnalisé :** Si vous avez utilisé la commande Diaporama/Diaporamas personnalisés pour créer
un diaporama qui contient uniquement les diapositives
sélectionnées dans la boite de dialogue du même nom,
cette option permet de n'imprimer que les diapositives de
ce diaporama.

✓ **Diapositives :** Permet de sélectionner des diapositives
spécifiques à imprimer. Vous pouvez imprimer une plage
de diapositives en saisissant les numéros de début et de
fin de la plage séparés par un tiret. Ainsi, lorsque vous
saisissez *5-8*, vous demandez à PowerPoint d'imprimer les
diapositives 5, 6, 7 et 8. Ou bien il est possible d'imprimer
des diapositives individuelles en séparant leurs numéros
par des virgules. Si vous saisissez *4,8,11*, vous n'imprimez
que ces diapositives. Cerise sur le gâteau : vous pouvez
imprimer des plages de diapositives et des diapositives
individuelles en une seule opération. Si vous saisissez *4,9-
11,13*, vous imprimez les diapositives 4, 9, 10, 11 et 13.

Imprimer plusieurs copies

Le champ Nombre de copies de la boîte de dialogue Imprimer permet de faire plusieurs copies papier de votre présentation. Vous pouvez cliquer sur l'une des flèches du champ Nombre de copies pour augmenter ou diminuer les exemplaires à imprimer. Il est possible de saisir directement dans ce champ le nombre de copies à réaliser.

Sous le champ Nombre de copies, figure la case à cocher Copies assemblées. Si vous la cochez, PowerPoint imprime chaque copie de la présentation l'une après l'autre. En d'autres termes, si votre présentation contient dix diapositives et que vous sélectionnez 3 copies dans le champ Nombre de copies, PowerPoint imprime les dix diapositives de la première copie, puis les dix de la deuxième, enfin les dix de la troisième. Si vous ne cochez pas la case Copies assemblées, PowerPoint imprime trois copies de la première diapositive, puis trois de la deuxième, et ainsi de suite jusqu'à la dixième diapo.

L'option Copies assemblées vous évite de trier manuellement les pages pour reconstituer chaque document. Souvent, les présentations sont longues à imprimer à cause des graphiques insérés dans les diapositives. Toutefois, lorsque vous imprimez plusieurs copies, je vous conseille de ne pas cocher cette option. Attitude paradoxale sans doute, mais salutaire sur le plan du gain de temps à l'impression. Pourquoi ? Parce que de nombreuses imprimantes deviennent plus rapides quand elles attaquent la deuxième ou la troisième copie d'une page. C'est un peu comme imprimer à la chaîne. En revanche, l'option Copies assemblées ralentit tout, car l'imprimante doit reconstituer chaque fois la totalité du document, page après page, et recommencer la même opération pour les copies suivantes.

Que voulez-vous imprimer ?

La liste Imprimer de la boîte de dialogue Imprimer permet de sélectionner le type d'éléments que vous désirez coucher sur le papier. Voici son contenu :

✔ **Diapositives :** Imprime des diapositives. Notez que si vous avez inclus des effets dans votre présentation cette option n'est pas disponible. Elle est remplacée par deux options similaires.

✔ **Pages de commentaires** : Imprime les pages contenant les commentaires que vous désirez lire à l'auditoire (voir le Chapitre 5).

✔ **Documents (diapositives par page)** : Imprime un document qui sera remis à votre auditoire. Sélectionnez le nombre de diapositives devant apparaître sur chaque page du document en cliquant sur la liste Diapositives par page. Vous pouvez également définir l'ordre d'apparition des diapositives, soit Horizontal, soit Vertical.

✔ **Plan** : Imprime le plan de votre présentation.

Sélectionnez le type de sortie sur papier que vous désirez effectuer, puis cliquez sur OK ou appuyez sur Entrée.

Pour imprimer les diapositives en portrait ou en paysage, choisissez Fichier/Mise en page. Une autre méthode consiste à sélectionner une de ces options dans les propriétés de votre imprimante.

Pour imprimer des documents avec deux, trois ou six diapositives par page, PowerPoint est obligé de réduire la taille initiale de chaque diapositive. Puisque ces documents sont remis à l'auditoire, le contenu doit être lisible, malgré la taille réduite.

A quoi servent tous ces autres contrôles ?

La commande Imprimer dispose de contrôles supplémentaires situés en bas de la boîte de dialogue. En voici une liste expliquant leur fonction :

✔ **Couleur/Nuances de gris** : Cette liste permet de définir la qualité colorimétrique de l'impression. Ainsi, vous pouvez imprimer en couleurs, en nuances de gris ou en noir et blanc intégral.

✔ **Mettre à l'échelle de la feuille** : Ajuste la taille de sortie en fonction de la dimension du papier d'impression. Ne cochez pas cette option pour éviter des problèmes d'impression aussi étranges qu'incompréhensibles.

✔ **Encadrer les diapositives :** Dessine une fine bordure autour des diapositives.

✔ **Imprimer les commentaires et les notes manuscrites :** Si vous avez ajouté des commentaires à vos diapositives, vous pouvez les imprimer sur des pages séparées. Cette option est "grisée" (indisponible) si votre présentation n'a pas de commentaires.

✔ **Imprimer les diapositives masquées :** Vous pouvez masquer des diapositives avec la commande Diaporama/ Masquer la/les diapositive(s). Une fois qu'une diapositive est masquée, elle ne sera imprimée que si vous activez cette option. L'option est grisée quand aucune diapositive du diaporama n'est masquée.

Utiliser la commande Aperçu avant impression

PowerPoint dispose de la fameuse commande Aperçu avant impression, qui vous donne une idée assez précise de l'aspect qu'auront vos pages une fois imprimées sur papier. Il suffit pour cela de choisir Fichier/Aperçu avant impression. La page apparaît comme sur la Figure 6.2.

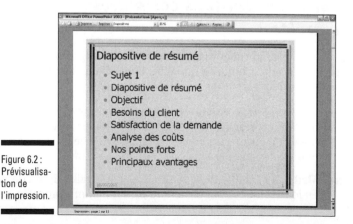

Figure 6.2 :
Prévisualisation de l'impression.

Dans la fenêtre d'aperçu avant impression, vous pouvez zoomer pour examiner quelques parties sensibles de vos diapositives. Vous pouvez également faire défiler les pages avec la barre de défilement, en utilisant les touches Page Up et Page Down ou en cliquant sur les boutons Page précédente et Page suivante, situés dans le coin supérieur gauche de l'aperçu.

Dès que vous êtes satisfait du "projet" d'impression, cliquez sur le bouton Imprimer.

Chapitre 7
Show Time !

*V*ous pouvez exécuter un diaporama de bien des manières. La souris peut, par exemple, déclencher les diapositives à votre demande, revenir en arrière, repartir en avant. Le pointeur de la souris peut servir de marqueur pour entourer un point spécifique de la diapositive, exactement comme le fait l'entraîneur de football américain John Madden sur son ardoise pendant les matchs.

Avant de vous réjouir de ce moment si attendu, je vous demande de penser sans cesse à votre auditoire. PowerPoint n'a pas la même culture que la diffusion sur Internet ou un intranet. Les présentations sont faites dans un lieu fermé, sur un écran, avec des gens qui sont là pour écouter votre exposé, et certainement pour vous interroger.

Quelle que soit la méthode de diffusion de votre présentation, tout commence par le paramétrage de votre diaporama.

Paramétrer un diaporama

Pour paramétrer un diaporama qui doit être présenté sur votre ordinateur, ouvrez la présentation, puis choisissez Diaporama/

Paramètres du diaporama. La boîte de dialogue du même nom apparaît, comme sur la Figure 7.1. Vous pouvez utiliser diverses options, décrites ci-après.

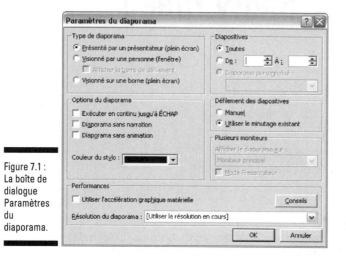

Figure 7.1 :
La boîte de
dialogue
Paramètres
du
diaporama.

Voici ce que vous pouvez faire dans cette boîte de dialogue :

- ✓ **Configurer la présentation** pour l'une des trois diffusions suivantes : Présenté par un présentateur (plein écran), Visionné par une personne (fenêtre) ou Visionné sur une borne (plein écran).

- ✓ **Choisir d'exécuter le diaporama en continu** jusqu'à ce que l'utilisateur appuie sur la touche Echap.

- ✓ **Choisir d'afficher le diaporama sans narration ou animation**.

- ✓ **Sélectionner la couleur du stylo** qui va permettre de souligner quelques points durant la présentation.

- ✓ **Choisir d'inclure tout ou partie des diapositives**.

- ✓ **Choisir d'afficher le Diaporama personnalisé**.

- ✓ **Choisir d'avancer manuellement de diapositive en diapositive** en appuyant sur la touche Entrée, sur la barre d'espace ou en cliquant sur le bouton de la souris. En revanche, pour que le diaporama s'exécute automatiquement, choisissez Utiliser le minutage existant.

✔ **Sélectionner un moniteur.** Si votre ordinateur dispose de deux moniteurs, sélectionnez, dans la liste Afficher le diaporama sur, celui qui doit être utilisé pour le diaporama.

Démarrer un diaporama

Quand vous démarrez un diaporama diffusé sur votre ordinateur, un clic suffit. Cliquez sur le bouton Diaporama. PowerPoint démarre la présentation depuis la diapositive en cours. Pour passer à la diapositive suivante, cliquez sur le bouton de la souris, appuyez sur la touche Entrée ou sur la flèche dirigée vers le bas du pavé directionnel. Vous pouvez également lancer la lecture en choisissant Affichage/Diaporama ou Diaporama/Visionner le diaporama.

Pour démarrer le diaporama à la première diapositive, vérifiez que celle-ci est sélectionnée. (Appuyez sur Ctrl+Origine pour afficher la première diapositive.)

Vous pouvez également démarrer un diaporama en utilisant le raccourci clavier F5.

Paramétrer une projection

Si vous envisagez de présenter un diaporama en utilisant une projection et un ordinateur portable, vous devez connecter l'ordinateur de bureau au portable, le raccorder au projecteur, l'allumer, faire la mise au point, etc. Toutes ces opérations et ces réglages varient d'un projecteur à un autre. Consultez le manuel d'utilisation du projecteur pour ne pas commettre d'erreurs ou d'oublis. Les paragraphes suivants donnent des conseils généraux qui peuvent vous venir en aide :

✔ Nombre d'ordinateurs portables disposent d'un port vidéo externe et la plupart des projecteurs d'une entrée vidéo. Un câble de moniteur VGA standard permet de connecter l'ordinateur au projecteur.

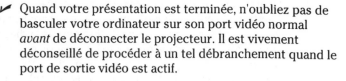

✔ Pour utiliser le portable avec un projecteur, vous devez d'abord activer le port vidéo externe. Sur la plupart des portables, il suffit d'appuyer sur une touche spéciale qui bascule d'un mode vidéo à un autre. Si vous ne voyez pas pareille touche, cliquez sur un endroit vide du bureau avec le bouton droit de la souris. Dans le menu contextuel, choisissez Propriétés. Cliquez ensuite sur l'onglet Paramètres, puis sur Avancé. Vous trouverez certainement une option qui permet d'activer et de désactiver le port vidéo externe.

✔ Quand votre présentation est terminée, n'oubliez pas de basculer votre ordinateur sur son port vidéo normal *avant* de déconnecter le projecteur. Il est vivement déconseillé de procéder à un tel débranchement quand le port de sortie vidéo est actif.

✔ Beaucoup de projecteurs acceptent plusieurs sources. Par exemple, vous pouvez connecter un ordinateur et un magnétoscope au projecteur. Le projecteur dispose de boutons ou d'un menu qui permet de sélectionner l'entrée vidéo adéquate. Si vous connectez votre ordinateur au projecteur et que tout semble correct mais qu'aucune image apparaît, vérifiez que la bonne entrée vidéo est sélectionnée sur le projecteur.

✔ Si vous désirez utiliser une télécommande pour contrôler votre présentation, vous devez disposer du câble approprié pour raccorder le projecteur au port souris de votre portable. Ce câble est généralement livré avec le projecteur.

✔ Enfin, si votre présentation contient des éléments sonores, vous devez connecter les sorties audio de votre ordinateur à des haut-parleurs. Si vous diffusez la présentation dans une grande salle, il faut raccorder les sorties audio à un système de mixage et/ou d'amplification plus puissant.

Le clavier et la souris au service du diaporama

Pendant la diffusion du diaporama, vous pouvez utiliser le clavier et la souris pour contrôler la présentation. Les Tableaux 7.1 et 7.2 listent les touches et les clics à mettre en œuvre.

 Si le pointeur de la souris est masqué, agitez votre périphérique de pointage (votre souris, quoi !). Dès que le pointeur devient visible, un menu apparaît dans le coin inférieur gauche de la diapositive. Il permet d'activer diverses options d'affichage des diapositives.

Tableau 7.1 : Le clavier au service du diaporama.

Fonction	Mise en œuvre
Afficher la diapositive suivante	Entrée, barre d'espace, Page Down, S
Afficher la diapositive précédente	Retour arrière, Page Up, P
Afficher la première diapositive	Origine
Afficher une diapositive spécifique	Numéro de la diapositive + Entrée (pavé numérique)
Basculer vers un écran noir	N, point
Basculer vers un écran blanc	B, virgule
Afficher ou masquer le pointeur	F, =
Effacer le dessin à l'écran	E
Afficher la diapositive suivante même si elle est masquée	M
Afficher une diapositive masquée spécifique	Numéro de la diapositive masquée+Entrée (pavé numérique)
Transformer le pointeur en stylo	Ctrl+P
Transformer le stylo en pointeur	Ctrl+F
Arrêter le diaporama	Echap, Ctrl+Pause, - (moins du pavé numérique)

Tableau 7.2 : La souris au service du diaporama.

Fonction	Mise en œuvre
Afficher la diapositive suivante	Cliquez
Parcourir les diapositives	Faites tourner le bouton roulette (si votre souris en a un)
Appeler le menu des actions	Cliquez sur le bouton droit de la souris
Afficher la première diapositive	Maintenir les deux boutons de la souris jusqu'à l'apparition de la diapositive 1
Dessiner	Appuyez sur Ctrl+P pour transformer le pointeur en stylo et dessiner comme John Madden sur son ardoise

L'effet John Madden

Pour ceux qui ne le sauraient pas, John Madden est certaine-ment le plus célèbre entraîneur de football américain de tous les temps. Et pour ceux qui ne connaissent rien au football américain, sachez que ce sport exige un sens stratégique hors du commun. L'ardoise est de rigueur pour définir les différen-tes attaques.

Dans une présentation, il est souvent nécessaire de souligner des points importants d'une diapositive. Voici comment procéder :

1. **Démarrez un diaporama.**

2. **Quand vous désirez dessiner sur une diapositive, appuyez sur Ctrl+P.**

   Le pointeur de la souris prend la forme d'un stylo.

3. **Dessinez.**

   La Figure 7.2 montre un dessin sur une diapositive.

4. **Pour effacer le dessin, appuyez sur E.**

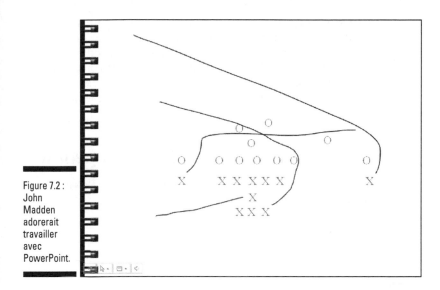

Figure 7.2 :
John
Madden
adorerait
travailler
avec
PowerPoint.

Dessiner d'une manière aussi précise exige une parfaite
maîtrise de la souris. Avec un peu d'expérience, vous serez
capable de faire des illustrations étonnantes.

Voici ce que vous ne devez jamais oublier quand vous dessinez :

✔ Pour masquer temporairement le pointeur de la souris
   pendant le diaporama, appuyez sur Ctrl+M puis sur le
   signe d'égalité (=). Procédez de même pour faire réapparaître le pointeur.

✔ Pour désactiver le bouton de dessin, appuyez sur le
   signe =.

✔ Si le crayon ne vous convient pas, cliquez sur le menu
   situé dans le coin inférieur gauche du diaporama. Vous
   avez alors le choix entre un Stylet pointe bille, un Stylet
   feutre et un Surligneur.

Vous pouvez également appuyer sur le bouton droit de la
souris pour accéder à un menu contextuel qui propose diverses commandes. Cependant, son utilisation risque d'interrompre le diaporama pendant que vous exécutez votre choix dans

les commandes. Ce menu vous permet de changer la couleur du stylo et quelques autres fantaisies. Vous pouvez définir la couleur du stylo avant de lancer le diaporama. Il suffit de choisir Diaporama/Paramètres du diaporama. Si vous avez une souris télécommandée et désirez accéder à votre clavier pendant la présentation, je vous suggère d'utiliser le menu contextuel.

Vérifier le minutage de votre diaporama

Vous pouvez utiliser les fonctions de minutage de PowerPoint pour évaluer la durée de votre présentation.

Il suffit de choisir Diaporama/Vérification du minutage. Cela ouvre un petit chronomètre comme le montre la Figure 7.3.

Figure 7.3 :
Le minutage
d'un
diaporama.

Minutez votre présentation. Cliquez sur la souris ou utilisez les raccourcis clavier pour avancer dans les diapositives. PowerPoint enregistre le temps d'affichage de chaque diapositive et la durée totale de votre présentation.

Quand vous atteignez la dernière diapositive, PowerPoint affiche une boîte de dialogue qui vous permet de valider le minutage de votre diaporama. S'il vous convient, cliquez sur Oui.

Si vous ratez votre minutage, cliquez sur le bouton Répéter. Il relance le minutage de la diapositive en cours.

Exécuter une présentation sur un réseau

PowerPoint permet de diffuser des présentations sur un réseau. Cela signifie que tous les utilisateurs du réseau y sont conviés. Puisque cette fonction utilise la technologie du Web, les utilisateurs n'ont besoin que d'un navigateur Web pour apprécier votre travail.

Utiliser des diaporamas personnalisés

Il s'agit d'une fonction de PowerPoint qui permet de créer plusieurs diaporamas similaires stockés dans une seule présentation. Par exemple, on vous demande une présentation qui montre les bénéfices dégagés par votre société et une autre la part de ces mêmes bénéfices redistribués aux employés. Vous pouvez créer une présentation ne contenant que les diapositives dégageant les bénéfices réels de l'entreprise, et ensuite y sélectionner les diapositives qui constitueront la présentation des bénéfices aux employés. Une seule présentation pour deux diaporamas.

Créer un diaporama personnalisé

Pour créer un diaporama personnalisé :

1. **Choisissez Diaporama/Diaporamas personnalisés.**

   Vous accédez à la boîte de dialogue Diaporamas personnalisés.

2. **Cliquez sur le bouton Nouveau.**

   La boîte de dialogue Définir un diaporama personnalisé apparaît, comme le montre la Figure 7.4.

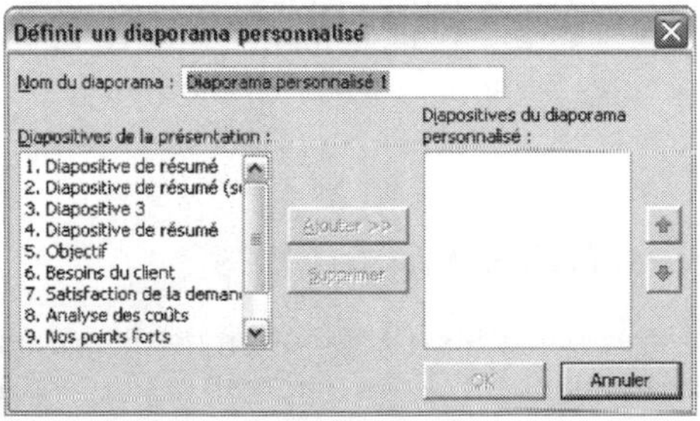

Figure 7.4 :
Définir un
diaporama
personnalisé.

3. **Dans le champ Nom, donnez un nom au diaporama personnalisé.**

4. **Ajoutez les diapositives nécessaires au diaporama en les sélectionnant dans la liste Diapositives de la présentation.**

   Toutes les diapositives utilisables sont listées dans Diapositives de la présentation. Pour ajouter une diapositive au diaporama personnalisé, cliquez sur la diapositive, puis sur le bouton Ajouter. Les diapositives ajoutées s'affichent dans la liste Diapositives du diaporama personnalisé.

   Pour enlever une diapositive, cliquez dessus dans la liste Diapositives du diaporama personnalisé, et cliquez sur Supprimer.

5. **Cliquez sur OK.**

   Vous retournez dans la boîte de dialogue Diaporamas personnalisés.

6. **Cliquez sur Fermer.**

Afficher un diaporama personnalisé

Pour afficher un diaporama personnalisé, commencez par ouvrir la présentation qui contient les diapositives qui ont servi à le définir. Choisissez ensuite Diaporama/Diaporamas personnalisés et cliquez sur le bouton Afficher.

Vous pouvez également appeler un diaporama personnalisé pendant l'exécution du diaporama classique. Cliquez sur le bouton droit de la souris. Dans le menu contextuel, choisissez Aller à/Diaporamas personnalisés et cliquez sur le diaporama à exécuter.

Les diapositives masquées

Si vous ne désirez pas utiliser la fonction de diaporama personnalisé tout en excluant certaines diapositives de la présentation, masquez ces diapositives plutôt que de les supprimer.

Pour cela, sélectionnez-les, puis cliquez sur Diaporama/ Masquer la/les diapositive(s). Pour révéler les diapositives ainsi masquées, exécutez de nouveau cette commande.

Chapitre 8

A l'aide !

*L*a meilleure méthode pour utiliser PowerPoint est d'avoir un expert assis à vos côtés. Vous lui posez toutes les questions qui vous tracassent. Une telle présence est envahissante, gâche votre vie privée, et surtout revient très cher. Sans doute existe-t-il une solution de remplacement ?

Bonne nouvelle ! PowerPoint possède un expert qui vous assiste dans les domaines pointus (ou non d'ailleurs) soulevant des difficultés temporaires. Il s'agit d'un petit personnage qui se nourrit à l'électricité. Il se nomme *Compagnon Office* et on le rencontre dans toutes les applications de la gamme Microsoft Office.

Rencontre avec le Compagnon Office

Don Juan a son Leporello, Batman son Robin, Laurel son Hardy et le Dr Frankenstein son Igor. Tout le monde a besoin d'un assistant et les utilisateurs d'Office ne font pas exception à cette règle.

Le Compagnon Office est un petit personnage animé qui surgit sur votre Bureau pour vous donner des conseils sages et avisés. Vous pouvez également lui poser des questions. Après quelques secondes de réflexion, il vous propose une liste de rubriques pouvant répondre à votre interrogation.

Le Compagnon Office apparaît comme sur la Figure 8.1. Il s'agit d'un petit chien qui vous invite à lui poser une question. Plus loin dans ce chapitre, vous apprendrez à changer de Compagnon Office.

Figure 8.1 :
A la rencontre de Toufou, un des Compagnons Office.

Qu'aimeriez-vous faire ?

Tapez votre question ici, puis cliquez sur Rechercher.

Options   Rechercher

Le plus drôle est que le Compagnon Office est animé. Regardez-le pendant que vous travaillez. Parfois, il rentre dans sa niche, se met à bouger, à danser et à changer d'expression. Tout cela est dicté par le type d'actions que vous effectuez dans le programme. Observant tous vos faits et gestes, le Compagnon détend l'atmosphère d'un travail laborieux et austère en vous divertissant par ses facéties.

Pour communiquer, le Compagnon Office utilise une bulle de bande dessinée. Elle dispose d'une zone où vous saisissez votre question et de plusieurs boutons sur lesquels vous pouvez cliquer. La bulle fonctionne comme n'importe quelle autre boîte de dialogue, mais son apparence est unique.

L'aide des applications Microsoft est devenue plus interactive et sélective. Il suffit de saisir une phrase expliquant le problème qui vous tracasse et le Compagnon affiche une liste de rubriques susceptibles de vous venir en aide.

Lorsque vous cliquez sur une rubrique proposée par le Compagnon, le résultat s'affiche immédiatement dans une fenêtre d'aide typique des applications Office. Si vous désactivez le

Compagnon Office parce que ce petit personnage relève plus du gadget que d'une aide véritable, l'aide fonctionne différemment, comme vous le constaterez dans la section "La bonne vieille aide", plus loin dans ce chapitre.

Quand vous installez PowerPoint, le Compagnon Office est inactif. Pour le faire apparaître, cliquez sur Aide/Afficher le Compagnon Office. Pour vous en débarrasser, cliquez sur Aide/ Masquer le Compagnon Office. Vous pouvez également cliquer sur le Compagnon avec le bouton droit de la souris. Dans le menu contextuel, choisissez Masquer.

Solliciter le Compagnon

Vous pouvez solliciter le Compagnon Office de plusieurs manières. Dans la plupart des cas, le Compagnon est déjà visible à l'écran. Il suffit de cliquer dessus pour attirer son attention. Une bulle apparaît au-dessus de sa tête. Il ne reste plus qu'à lui poser une question.

Si le Compagnon n'est pas visible, sollicitez-le par l'une des trois méthodes suivantes :

 ✔ Choisissez Aide/Aide sur Microsoft PowerPoint.

 ✔ Appuyez sur la touche F1, la touche magique.

 ✔ Cliquez sur le bouton Aide sur Microsoft PowerPoint de la barre d'outils Standard.

Parfois, le Compagnon présume que vous êtes dans la panade et offre spontanément son aide. Par exemple, si vous saisissez du texte, le Compagnon vous donne quelques explications, comme le montre la Figure 8.2.

Si vous cliquez sur l'option qui permet d'en savoir plus sur un problème spécifique, une fenêtre s'ouvre.

Pour pousser plus loin vos investigations, vous devez savoir ce qui suit :

 ✔ Si vous trouvez une aide qui peut être utile dans bien des circonstances, cliquez sur le bouton Imprimer.

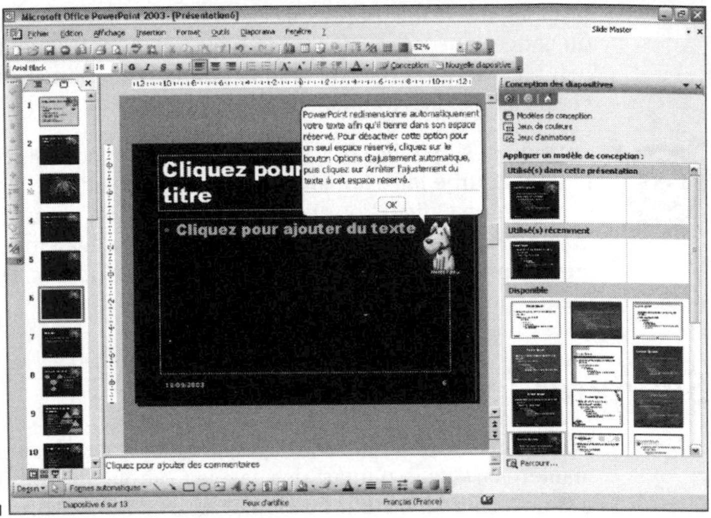

Figure 8.2 :
Le
Compagnon
Office donne
des conseils
avisés.

✔ Si vous voyez un mot ou une phrase soulignée, cliquez dessus pour accéder à une page distillant des informations complémentaires sur l'élément concerné. Cette méthode permet, de page en page d'aide, d'obtenir la réponse à vos interrogations.

✔ Dans la liste Qu'aimeriez-vous faire, chaque choix est précédé d'un petit bouton. Cliquez dessus pour afficher une aide étape par étape.

✔ Vous pouvez revenir sur vos pas en cliquant sur le bouton Page précédente de la fenêtre d'aide.

✔ L'aide fonctionne comme un programme autonome. Vous pouvez donc continuer à travailler dans PowerPoint tout en laissant la fenêtre d'aide ouverte. Réduisez-la : elle reste accessible sous forme de bouton de la Barre des tâches. Dès que vous en avez besoin, cliquez sur ce bouton. La fenêtre d'aide apparaît, et vous la mettez à contribution sur un sujet qui vous pose problème. Cette fenêtre peut être déplacée en agissant sur sa barre de titre.

✔ Quand vous n'avez plus besoin d'aide, appuyez sur la
touche Echap de votre clavier ou cliquez sur le bouton de
fermeture situé dans le coin supérieur droit de la fenêtre
d'aide.

Poser une question

Si aucune aide n'envisage votre problème, saisissez une
question dans la bulle du Compagnon Office. Par exemple,
pour savoir comment modifier la couleur d'arrière-plan d'une
diapositive, saisissez **Comment modifier la couleur d'arrière-
plan d'une diapositive ?** puis cliquez sur le bouton Rechercher.

Si l'une des propositions est prometteuse, cliquez dessus. Ou
bien cliquez sur Suivant pour accéder à d'autres propositions
correspondant au sujet qui vous intéresse.

Si aucune suggestion ne correspond à la question posée,
essayez de la reformuler, et cliquez de nouveau sur Rechercher.

Il n'est pas nécessaire de formuler une véritable question.
Quelques mots suffisent. Supprimez *Comment modifier*. Dans
notre exemple, vous auriez obtenu les mêmes rubriques en
saisissant *Couleur d'arrière-plan des diapositives.*

Obtenir un conseil

Comme je l'ai mentionné précédemment, une ampoule peut
s'allumer dans la bulle du Compagnon Office ou apparaître sur
une diapositive. Cliquez dessus pour obtenir un conseil sur
une action que vous venez de réaliser dans PowerPoint.

Changer de Compagnon

Toufou, le cybertoutou docile, est un des huit Compagnons
disponibles dans la suite Office. Pour en sélectionner un autre,
cliquez sur la touche F1 ou le bouton Aide. Cliquez ensuite sur
Options. Dans la boîte de dialogue Compagnon Office, vous

voyez le Compagnon en cours d'utilisation, comme sur la Figure 8.3.

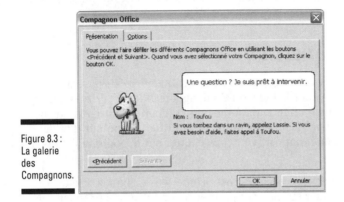

Figure 8.3 :
La galerie
des
Compagnons.

Pour choisir un autre Compagnon Office, cliquez sur le bouton Suivant ou Précédent jusqu'à ce que vous voyiez celui qui vous convient. Pour l'utiliser, cliquez sur OK.

Ces Compagnons ne diffèrent qu'en apparence. Leur fonctionnement reste identique.

Pour modifier les options du Compagnon Office, vous pouvez cliquer sur l'animal avec le bouton droit de la souris. Choisissez ensuite Options, et asservissez ce compagnon à vos désirs les plus fous !

La bonne vieille aide

Le Compagnon n'est pas la seule manière d'obtenir de l'aide dans PowerPoint 2003. Ce programme propose une aide traditionnelle que l'on retrouve dans tous les programmes conçus pour Windows.

Pour solliciter cette aide, désactivez le Compagnon Office en décochant la case Utiliser le Compagnon Office de la boîte de dialogue Compagnon Office (onglet Options). Dès que vous appuierez sur F1 ou choisirez Aide/Aide sur Microsoft PowerPoint, vous verrez apparaître le volet Aide (Figure 8.4).

Figure 8.4 :
La bonne
vieille aide
des
programmes
Windows.

Saisissez quelques mots embrassant l'aide recherchée, puis
cliquez sur la flèche blanche dans un carré vert.

Deuxième partie
De superbes diapositives

"Non, ce n'est pas un graphique à secteurs,
c'est un morceau de camembert
qui a été scanné dans le document."

Dans cette partie...

Quand on pense à l'argent dépensé dans le monde entier pour les soins esthétiques, vous apprécierez les fonctions de PowerPoint qui améliorent l'aspect de vos présentations sans que cela vous coûte un centime de plus.

Chapitre 9

Les fabuleux formats de texte

C e chapitre vous montre comment émerveiller les gens en formatant le texte. Si vous utilisez les modèles PowerPoint comme base de vos présentations, votre texte est déjà correctement formaté. Mais, pour atteindre le niveau technique supérieur recherché, vous devez apprendre quelques petits trucs.

Modifier l'apparence de vos caractères

PowerPoint permet de modifier l'aspect de chaque caractère. Vous en contrôlez tous les attributs via la boîte de dialogue Police accessible par Format/Police (voir la Figure 9.1).

La boîte de dialogue Police est un peu compliquée à utiliser. Heureusement, PowerPoint fournit un ensemble de raccourcis pour formater avec grand plaisir. Ces raccourcis sont listés dans le Tableau 9.1 ; les procédures de leur utilisation sont décrites dans cette section.

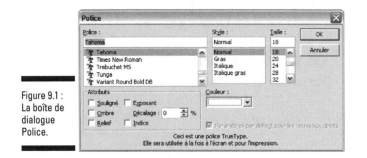

Figure 9.1 :
La boîte de
dialogue
Police.

Mettre en gras, italique et souligné

Il suffit de cliquer sur ces boutons pour saisir du texte en gras, italique ou souligné. Il est même possible de combiner les trois.

Pour désactiver tous les enrichissements sélectionnés, appuyez sur Ctrl+barre d'espace.

Vous pouvez également enrichir du texte déjà saisi. Sélectionnez-le puis cliquez sur le ou les boutons adéquats. Par exemple, pour mettre un texte en gras, sélectionnez-le puis appuyez sur Ctrl+G.

Vous redonnez un aspect normal au texte en y plaçant le point d'insertion et en appuyant sur Ctrl+barre d'espace.

Modifier la taille des caractères

Si le texte est difficile à lire ou si vous désirez attirer l'attention sur lui, vous pouvez grossir un mot par rapport au reste du texte. Le plus simple pour modifier la taille de la police consiste à sélectionner une taille prédéfinie dans la liste de la barre d'outils Mise en forme.

Pour augmenter ou diminuer rapidement la taille d'un texte, sélectionnez-le ou placez-y le point d'insertion. Appuyez sur

Ctrl+Alt+Maj+> pour augmenter sa taille et sur Ctrl+Alt+> pour
la diminuer.

Tableau 9.1 : Raccourcis de formatage des caractères.

Bouton	Raccourci clavier	Format
G	Ctrl+G	Gras
I	Ctrl+I	*Italique*
<u>S</u>	Ctrl+U	<u>Souligné</u>
S	(aucun)	Texte ombré
(aucun)	Ctrl+barre d'espace	Normal
Arial	Ctrl+Maj+F	Police
18	Ctrl+Maj+P	Taille
A▲	Ctrl+Maj+>	Augmenter la taille de la police
A▼	Ctrl+Maj+<	Diminue la taille de la police
A	(aucun)	Couleur de la police

Polices

Si vous n'aimez pas la forme de votre police, choisissez-en une
autre dans la liste des polices de la barre d'outils Mise en
forme. Vous pouvez y accéder rapidement via Ctrl+Maj+F.

Appuyez ensuite sur la flèche dirigée vers le bas pour afficher les polices.

Si vous affichez les barres d'outils Mise en forme et Standard sur la même ligne, vous risquez de ne pas voir certaines listes et certains boutons. Vos raccourcis peuvent alors être sans effet. Dans ce cas, n'oubliez jamais de cliquer sur les doubles flèches qui se trouvent dans la barre d'outils. Vous accédez à tout ce qui vous manque.

Voici quelques considérations sur les polices :

- ✔ Vous pouvez changer de police via Format/Police, mais la liste Police présente un avantage indéniable qui est la représentation de la police elle-même. Vous savez alors à quoi ressemblera votre texte écrit avec la nouvelle police.

- ✔ Pour modifier les polices de toutes les diapositives de votre présentation, basculez en mode Masque des diapositives. Des détails vous sont donnés au Chapitre 12.

- ✔ PowerPoint place automatiquement en haut de la liste les polices les plus utilisées dans votre présentation. Vous pouvez facilement appliquer ces polices sans les chercher par ordre alphabétique (tâche toujours pénible).

- ✔ N'abusez pas des polices ! Plus vous utilisez de polices différentes, moins le discours est limpide. On recommande un maximum de deux ou trois polices par présentation. L'assistant de PowerPoint vous indique si le nombre de polices utilisées est excessif.

Remplacer des polices

PowerPoint dispose d'une formidable fonction avec la commande Remplacer des polices. Par exemple, vous utilisez la police Arial. Finalement, elle vous semble horrible et vous regrettez de n'avoir pas eu recours à la police Book Antiqua. Pas de problème ! Choisissez Format/Remplacer des polices pour accéder à la boîte de dialogue de même nom (Figure 9.2). Sélectionnez la police de remplacement et la police à remplacer, puis cliquez sur Remplacer.

Figure 9.2 :
Remplacer
toutes les
polices en
une seule
opération.

Remplacer la police

Remplacer :
Tahoma

Par :
Arial Unicode MS

Remplacer

Fermer

Métaphore des couleurs

La couleur est un excellent moyen d'attirer l'attention sur le texte d'une diapositive. Non seulement vous pouvez afficher des textes en couleurs sur votre moniteur, mais également en imprimer si vous disposez d'une imprimante couleur. La couleur est importante pour une publication sur le Web. Pour changer la couleur d'un texte, sélectionnez-le puis cliquez sur le bouton Couleur de police. Dans le menu local, choisissez la nouvelle couleur à appliquer.

Si vous n'aimez pas les couleurs du menu local Couleur de police, cliquez sur Couleurs supplémentaires. Une grosse boîte de dialogue s'ouvre. Choisissez une couleur ou définissez-en une en cliquant sur l'onglet Personnalisées. Pour davantage d'informations sur les couleurs, consultez le Chapitre 11.

L'ombre

Vous pouvez appliquer une ombre à n'importe quel type de texte. Sélectionnez le texte, puis cliquez sur le bouton Ombre. Vous pouvez styliser l'ombre par un clic sur le bouton Style ombre situé à droite sur la barre d'outils Dessin. Vous en saurez davantage à ce sujet au Chapitre 14.

Le relief

Le texte en relief (estampé) donne l'impression d'une gravure dans la pierre. PowerPoint simule cet effet en ajoutant une ombre claire en haut à gauche du texte et une ombre foncée sous le texte. En faisant disparaître la couleur initiale de la police, PowerPoint donne l'impression que le texte est gravé dans la couleur d'arrière-plan de la diapositive.

Pour créer un texte en relief, sélectionnez le texte à estamper, puis choisissez Format/Police. Cochez la case Relief et cliquez sur OK.

Le texte estampé est difficile à lire. Réservez cet effet aux grands textes. Le texte en relief est donc quasiment invisible dans certains jeux de couleurs. Il faudra modifier le jeu de couleurs ou changer de modèle pour obtenir un texte estampé visible.

Gratter les puces

La plupart des présentations ont des diapositives qui incluent des listes à puces – il s'agit d'une série de paragraphes commençant par une *puce*. Autrefois, vous deviez ajouter les puces une à une. Aujourd'hui, les puces apparaissent automatiquement.

PowerPoint vous permet de créer des puces fantaisie basées sur des images bitmap. Cela change des simples points et coches. Avant de vous lancer dans la création infernale de puces diaboliques, apprenez les bases d'utilisation de ces petits parasites.

Pour ajouter des puces à un ou plusieurs paragraphes :

1. **Sélectionnez les paragraphes auxquels vous désirez ajouter des puces.**

   Pour ajouter des puces à un seul paragraphe, inutile de le sélectionner. Placez le point d'insertion dedans.

2. **Cliquez sur le bouton Puces.**

   PowerPoint ajoute une puce à chaque paragraphe sélectionné.

Le bouton Puces est une commande dite *à bascule*. Cela signifie que vous cliquez dessus pour ajouter des puces et cliquez à nouveau dessus pour les enlever.

Si vous n'appréciez pas l'apparence des puces que PowerPoint utilise, choisissez un autre caractère de puce ou même un clipart via Format/Puces et numéros. Cette commande affiche la boîte de dialogue de même nom (Figure 9.3). Vous pouvez alors choisir un autre caractère de puce, modifier la couleur des puces et même définir une taille relative à celle du texte.

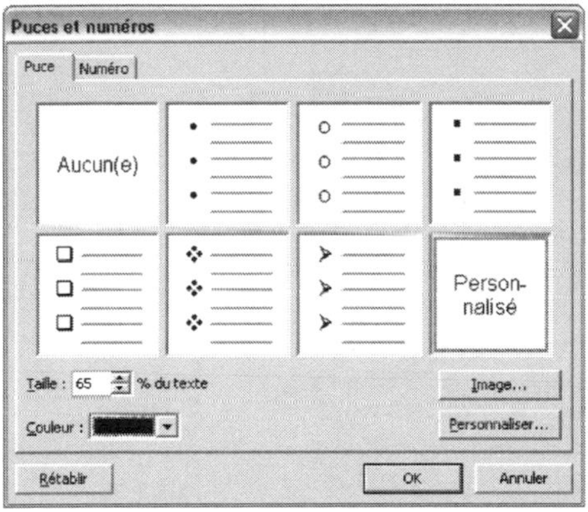

Figure 9.3 :
La boîte de
dialogue
Puces et
numéros.

Les paragraphes suivants donnent quelques conseils sur l'utilisation des puces :

- ✔ Plusieurs collections de caractères sont disponibles pour les puces. Si aucune ne vous convient, cliquez sur le bouton Personnalisé situé dans le coin inférieur droit de la boîte de dialogue. Vous ouvrez une autre boîte de dialogue qui liste une quantité invraisemblable de caractères spéciaux pouvant être utilisés comme puces. Choisissez celui qui vous plaît et cliquez sur OK.

- ✔ Si les caractères de puces sont trop petits, augmentez leur taille dans le champ prévu à cet effet de la boîte de dialogue Puces et numéros. Cette taille est spécifiée en pourcentage de la taille du texte.

- ✔ Pour modifier la couleur d'une puce, utilisez la liste Couleur. Choisissez-y une teinte prédéfinie ou personnalisez-la en cliquant sur Autres couleurs. Pour plus d'informations sur l'utilisation de la boîte de dialogue Couleurs, consultez le Chapitre 11.

⮕ Pour utiliser une image comme puce, cliquez sur le bouton Image. Vous accédez à la boîte de dialogue de la Figure 9.4. Choisissez l'image à utiliser comme puce, puis cliquez sur OK. (Vous pouvez cliquer sur le bouton Importer pour utiliser vos propres images comme puces.)

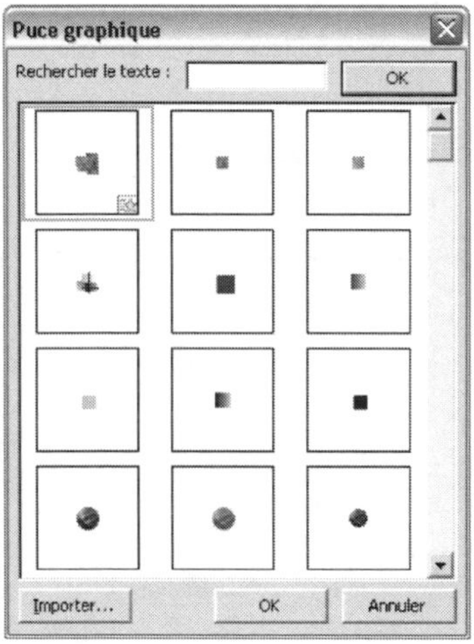

Figure 9.4 :
Utiliser une
image
comme puce.

Créer des listes numérotées

Vous pouvez définir des listes numérotées dans vos présenta-tions. Cliquez simplement sur le bouton Numérotation de barre d'outils Mise en forme.

Pour modifier le format d'un chiffre, cliquez sur Format/Puces et numéros. Si nécessaire, cliquez sur l'onglet Numéros et, enfin, sur le type de numérotation souhaité, comme sur la Figure 9.5.

Généralement, la numérotation commence à 1. Mais que se passe-t-il si elle s'étend sur une autre diapositive ? Il suffit de placer le point d'insertion dans la liste de cette nouvelle diapositive, d'ouvrir la boîte de dialogue Puces et numéros et de saisir, dans le champ A partir de, le numéro à afficher. Admettons que la diapo 1 ait une liste qui va de 1 à 5 et qui continue sur la diapo 2. Par défaut, le premier numéro de la diapo 2 sera 1. Il suffit de sélectionner cette diapo, d'ouvrir la boîte de dialogue susnommée et d'indiquer 6 dans le champ A partir de.

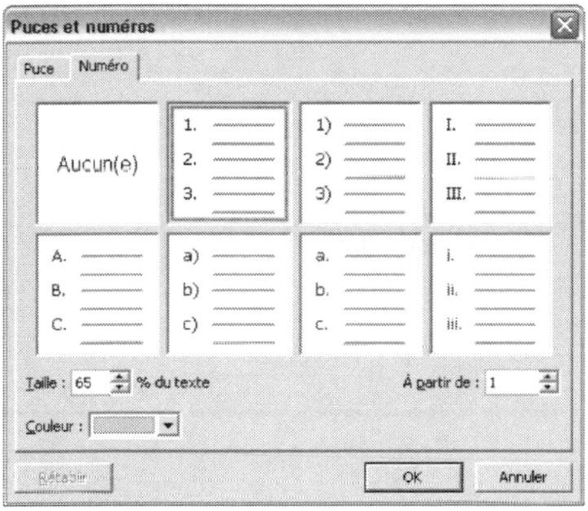

Figure 9.5 :
Les options de numérotation des listes.

Aligner le texte

PowerPoint permet de contrôler l'alignement des lignes de texte sur une diapositive. Vous pouvez le centrer, l'aligner à gauche ou à droite, ou le justifier. Utilisez pour cela Format/ Alignement ou les boutons d'alignement répertoriés dans le Tableau 9.2.

Voici quelques réflexions sur l'alignement des paragraphes :

- ✔ *Centrer* les lignes de texte les place au centre de la diapositive. (En réalité, au centre de l'objet textuel contenant le texte. Donc la ligne de texte est centrée sur la diapositive, si l'objet textuel est lui aussi centré sur cette diapositive.)

- ✔ Les listes à puces doivent être alignées à gauche. C'est le propre des listes !

- ✔ *Justifié* signifie que le texte s'étend "équitablement" du bord gauche au bord droit de la zone qui le contient.

Tableau 9.2 : Raccourcis d'alignement du texte.

Boutons	Raccourci	Alignement
	Ctrl+E	Centré
	Ctrl+Maj+G	Aligné à gauche
	Ctrl+Maj+D	Aligné à droite
	Ctrl+J	Justifié

Jouer avec les tabulations et les retraits

Si vous n'avez rien à faire, et je dis bien "rien à faire", amusez-vous avec les tabulations.

1. **Passez en mode d'affichage Normal.**

2. **Si la règle n'est pas visible, choisissez Affichage/Règle.**

3. **Sélectionnez l'objet textuel dont vous désirez modifier les tabulations et les mises en retrait.**

   Chaque objet de ce type dispose de ses propres paramètres de tabulation et de mise en retrait. Dès que vous cliquez sur l'objet, les symboles adéquats apparaissent sur la règle.

4. **Cliquez sur la règle pour ajouter un taquet de tabulation.**

   Placez le pointeur de la souris à l'endroit de la règle où vous désirez ajouter un taquet de tabulation et cliquez. Le taquet apparaît.

5. Déplacez ce taquet à la souris pour modifier la mise en retrait.

Essayez différents retraits pour voir ce qui se passe.

Les tabulations et les retraits sont très pratiques en théorie mais peu utiles à vos présentations. Voici quelques petites choses à savoir sur les tabulations :

- ✔ **Chaque objet textuel a ses propres paramètres de tabulation.** Ces paramètres s'appliquent à tous les paragraphes de l'objet. Par conséquent, si vous modifiez les paramètres de tabulation d'un paragraphe, cela se répercute sur tous les autres.

- ✔ **La règle affiche cinq niveaux différents de retrait, un pour chaque niveau du plan.** Seuls les niveaux utilisés dans l'objet textuel sont affichés. Pour voir les autres niveaux, abaissez le texte dans l'objet en appuyant sur la touche Tab.

Chaque objet textuel a des taquets de tabulation définis par défaut. Lorsque vous en ajoutez un, tous les taquets par défaut situés à gauche du nouveau disparaissent.

Pour supprimer un taquet de tabulation, faites-le glisser en dehors de la règle et relâchez le bouton de la souris.

Espacer le texte

Vous manquez d'espace ? Vous vous sentez engoncé ? Faites respirer vos lignes !

1. Sélectionnez le ou les paragraphes dont vous désirez espacer les lignes.

2. Choisissez Format/Interligne.

Désolé, mais PowerPoint ne dispose pas de raccourcis clavier pour cette étape. La boîte de dialogue Interligne apparaît comme sur la Figure 9.6.

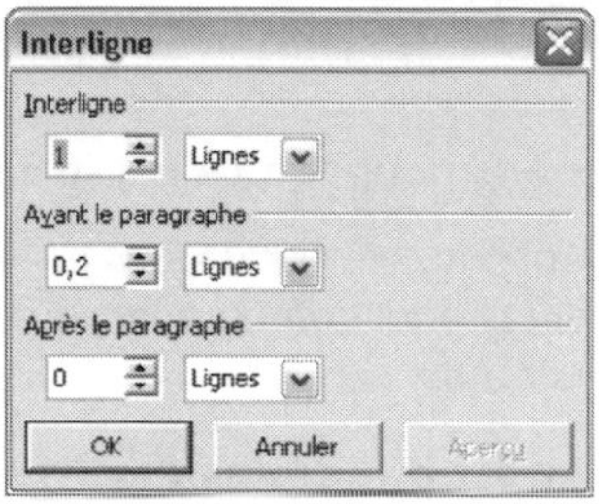

Figure 9.6 :
Modifier
l'interligne.

3. **Modifiez les paramètres de la boîte de dialogue pour ajuster l'interligne.**

   L'interligne se réfère à l'espace qui sépare les lignes d'un paragraphe. Il est possible de définir un espace avant et après le paragraphe pour bien le démarquer des autres paragraphes de la diapositive.

   L'interligne est exprimé en lignes et en points. La taille d'une ligne varie en fonction de la taille de la police de caractères du texte. Si vous spécifiez un interligne en points, PowerPoint utilise l'interligne exact sans se soucier de la taille de la police.

4. **Cliquez sur OK ou appuyez sur Entrée.**

Vous pouvez augmenter ou diminuer l'espace entre les paragraphes en cliquant sur les boutons Augmenter l'espacement du paragraphe et Diminuer l'espacement du paragraphe de la barre d'outils Mise en forme.

Chapitre 10

Images et cliparts

Dans ce chapitre :

- Utiliser des images gratuites.
- Trouver l'image qui vous plaît.
- Déplacer, redimensionner et étirer des images.
- Ajouter un cadre ou une ombre à une image.
- Modifier un clipart.
- Insérer des images issues d'Internet, d'un scanner ou d'un appareil photo numérique.

*R*egardons les choses en face : la plupart d'entre nous n'ont aucune disposition artistique. Inutile de compter sur les manipulations génétiques pour nous inoculer des cellules qui, un jour, feront de nous le Michel-Ange des diapositives.

Alors, contentons-nous des possibilités de PowerPoint en la matière, et surtout de celles de créateurs qui mettent leur technique et leur créativité à notre service. Louons également l'intelligence des inventeurs du scanner qui nous permet de numériser toutes les images qui nous font envie, et ceux qui ont donné naissance aux appareils photo numériques nous permettant d'agrémenter nos présentations avec des images de notre composition.

Les différents types d'images

Le monde de l'imagerie numérique propose de nombreux formats. PowerPoint les reconnaît presque tous. Les sections suivantes montrent les différences essentielles qui existent entre les deux types majeurs d'images : bitmap et vectorielles.

Les images bitmap

Les points qui constituent une image bitmap sont appelés *pixels*. Le nombre de pixels d'une image dépend de deux facteurs : la résolution et la taille de l'image. La *résolution* se réfère aux nombres de pixels par pouce. La plupart des moniteurs (et des projecteurs) affichent 72 pixels par pouce. A cette résolution, une image d'un pouce carré s'alloue 5,184 pixels (72 x 72). Les photographes qui font imprimer leurs images sur papier travaillent dans des résolutions bien plus importantes, car la qualité d'impression en dépend. En dessous de 200 à 300 pixels, il n'y a pas de salut. De ce fait, à 300 pixels par pouce, une photo de 10 x 15 cm dépasse les deux millions de pixels.

La quantité d'informations colorimétriques stockées dans l'image – on parle de *profondeur de couleurs* – affecte le nombre d'octets alloués par la mémoire de l'ordinateur pour la stocker. La profondeur de couleurs détermine le nombre de couleurs contenues dans l'image. On utilise principalement deux profondeurs de couleurs, 8 bits et 24 bits. En 8 bits, une image affiche 256 couleurs ; en 24 bits, elle en affiche 16,7 millions. Les photographies exigent des millions de couleurs pour s'afficher correctement.

Notre photographie de 10 x 15 qui contient plus de deux millions de couleurs exige 2 Mo de mémoire en 256 couleurs, alors qu'en couleurs vraies sa taille passe à 6,4 Mo.

Heureusement, les formats de fichier bitmap utilisent des méthodes de compression pour réduire la taille de l'image. En fonction du contenu de l'image, on peut passer facilement d'une taille de 2 Mo à une taille de 200 Ko, sans vraiment remarquer de dégradations.

Les fichiers d'image bitmap utilisent des extensions de nom de fichier comme `.bmp`, `.gif`, `.jpg`, `.png` ou `.pcx`. Le Tableau 10.1 liste les formats de fichier bitmap supportés par PowerPoint.

Tableau 10.1 : Les formats de fichier bitmap supportés par PowerPoint.

Format	Description
BMP	Format de fichier natif des images bitmap sous Windows. Il est utilisé par des programmes comme Paint, livré avec le système d'exploitation Windows.
GIF	Graphic Interchanged Format. Communément utilisé pour afficher des images sur Internet.
JPG	Un format classique pour les photographies (mais compressé).
PCD	Format CD Photo Kodak.
PCT	Fichiers PICT par défaut des images sur Mac.
PCX	Variante de fichier bitmap, également utilisé dans l'application Paint de Windows.
PNG	Portable Network Graphics. Format d'image utilisé sur Internet qui combine les propriétés des images GIF et JPG. Très puissant.
TGA	Fichiers Targa.
TIFF	Format de fichier généralement utilisé pour les photographies destinées à être imprimées sur papier ou à illustrer des livres.

Les images vectorielles

Les images vectorielles constituent l'autre catégorie d'images que vous pouvez utiliser dans PowerPoint. Il s'agit d'un fichier graphique qui contient des informations détaillées sur la manière dont sont dessinées des formes élémentaires comme des lignes, des courbes, des rectangles, etc.

PowerPoint supporte la plupart des formats vectoriels, comme l'indique le Tableau 10.2.

Utiliser des cliparts

Que vous ayez acheté PowerPoint seul ou avec la suite Microsoft Office, vous disposez de milliers d'images, sons et clips d'animation que vous pouvez insérer dans vos présentations. Les images de PowerPoint sont gérées par une application appelée Bibliothèque multimédia Microsoft.

Tableau 10.2 : Les formats de fichier vectoriel supporté par PowerPoint.

Format	Description
CDR	CorelDRAW!, programme de dessin vectoriel et de mise en page très répandu dans l'univers PC.
CGM	Computer Graphics Metafiles.
DRW	Format natif de Micrografx Designer ou Micrografx Draw, deux applications de dessin très populaires.
DXF	Format AutoCAD, un puissant programme de CAO, difficile à maîtriser.
EMF	Une image Enhanced Windows Metafile.
EPS	Encapsulated PostScript, un format utilisé par des programmes pointus de mise en page et d'illustration pour une impression sur des périphériques professionnels PostScript.
WMF	Windows Metafile, un format reconnu par la majorité des programmes.
WPG	Un dessin WordPerfect.

La Bibliothèque multimédia Microsoft effectue ses recherches à partir de mots-clés. Il est très facile de trouver le bon clipart pour vos diapositives.

La première fois que vous accédez aux cliparts, PowerPoint lance la Bibliothèque multimédia Microsoft. Elle recherche toutes les images présentes sur vos lecteurs et crée un catalogue complet. Je vous suggère de lui laisser faire cette collecte d'images, car vous aurez accès aux fichiers clipart de PowerPoint et à vos images personnelles.

La Bibliothèque multimédia Microsoft travaille également avec des sons, des vidéos, etc. Pour plus d'informations, reportez-vous au Chapitre 16.

N'abusez pas des effets spéciaux. Plus vous chargerez vos diapositives, plus votre présentation ressemblera à celle d'un amateur.

Insérer des cliparts

Ces étapes montrent comment insérer un clipart dans votre présentation :

1. **Affichez la diapositive dans laquelle vous souhaitez insérer le clipart.**

   Pour que le même clipart apparaisse sur chaque diapositive, affichez le Masque des diapositives via Affichage/Masque/Masque des diapositives.

2. **Choisissez Insertion/Image/Images clipart.**

   Peu importe l'endroit où vous placez le point d'insertion. PowerPoint insère le clipart au centre de la diapositive. L'image sera certainement trop grande ; il faudra la réduire.

3. **Le volet Insérer Images de la bibliothèque apparaît (Figure 10.1).**

Figure 10.1 :
Le volet
Insérer
Images de la
bibliothèque.

4. **Saisissez un mot-clé dans le champ Rechercher, puis cliquez sur le bouton OK.**

   Par exemple, pour trouver des images sur la technologie, saisissez "Technologie" dans le champ Rechercher le texte, puis cliquez sur le bouton OK.

PowerPoint effectue une recherche dans la Bibliothèque multimédia Microsoft. La Figure 10.2 montre comment le volet Insérer une image clipart apparaît une fois que PowerPoint a trouvé des images de technologies.

Figure 10.2 : PowerPoint a trouvé une grande quantité d'images sur diverses technologies.

5. Double-cliquez sur l'image à utiliser.

L'image est insérée dans la diapositive en cours.

6. Vous pouvez insérer d'autres cliparts ou fermer le volet Insérer une image clipart en cliquant sur son bouton de fermeture.

Le volet Office se ferme.

Vous voudrez certainement déplacer l'image et modifier sa taille. Pour cela, lisez la prochaine section, "Déplacer, redimensionner et étirer un clipart".

Déplacer, redimensionner et étirer un clipart

Puisque PowerPoint assigne une position arbitraire au clipart, vous souhaiterez probablement le changer de place et le redimensionner.

Suivez ces étapes pour asservir le clipart :

1. **Cliquez sur l'image et faites-la glisser où vous voulez.**

2. **Notez les huit poignées. Faites-en glisser une pour redimensionner l'image.**

   Vous pouvez cliquer et faire glisser n'importe quelle poignée pour ajuster la taille de l'image. Lorsque vous agissez sur une des poignées d'angle, vous conservez une image parfaitement bien proportionnée. Sinon, vous effectuez une distorsion.

Quand vous redimensionnez une image, elle change de position. Vous devez donc déplacer l'image après l'avoir redimensionnée. Si vous maintenez enfoncée la touche Ctrl pendant que vous faites glisser une poignée, l'image reste ancrée sur son point central, laissant sa position inchangée. Vous n'aurez certainement pas besoin de la déplacer après redimensionnement.

Etirer une image clipart en agissant sur l'une de ses poignées de côté modifie son apparence.

Rogner une image

Parfois, un des cliparts fournis par PowerPoint est proche de ce que vous recherchez, sans être exactement ce dont vous avez besoin. Dans ce cas, vous pouvez insérer l'image puis la modifier.

Pour rogner une image, sélectionnez-la, puis cliquez sur le bouton Rogner de la barre d'outils Image. Des éléments noirs entourent étrangement l'image. Agissez dessus pour éliminer les parties indésirables de l'image ou du clipart. Quand vous êtes satisfait du résultat, cliquez en dehors de l'image.

En cas d'erreur, cliquez sur l'image avec le bouton droit de la souris. Dans le menu contextuel, choisissez Format de l'image. Dans la boîte de dialogue qui apparaît, cliquez sur Réinitialiser puis sur OK.

Ajouter des embellissements

PowerPoint permet d'attirer l'attention sur un clipart en ajoutant, par exemple, un cadre ou une ombre. La Figure 10.3 montre un clipart avec quelques embellissements.

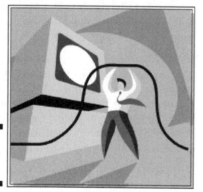

Figure 10.3 :
Cadre autour
d'un clipart.

Ajouter une bordure et un remplissage

Pour ajouter une bordure à une image, commencez par la sélectionner : la barre d'outils Image s'affiche. Cliquez sur le bouton Format de l'image (le pot de peinture) pour ouvrir la boîte de dialogue homonyme. Ouvrez l'onglet Couleurs et traits, et jouez avec les couleurs de remplissage et de trait comme sur la Figure 10.4. Validez et appliquez vos paramètres par un clic sur OK.

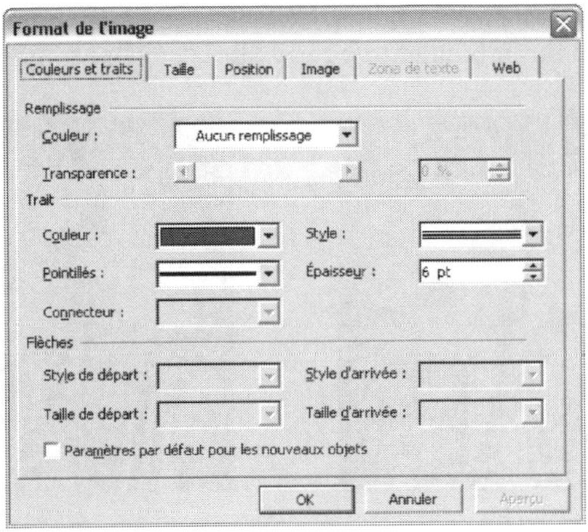

Figure 10.4 :
La boîte de
dialogue
Format de
l'image.

| Format de l'image | ⊠ |

Couleurs et traits | Taille | Position | Image | Zone de texte | Web |

Remplissage

Couleur : Aucun remplissage ▼

Transparence : ◄ ► %

Trait

Couleur : ▼ Style : ▼

Pointillés : ▼ Épaisseur : 6 pt

Connecteur :

Flèches

Style de départ : Style d'arrivée :

Taille de départ : Taille d'arrivée :

☐ Paramètres par défaut pour les nouveaux objets

OK Annuler Aperçu

Ajouter des ombres

Pour ajouter une ombre, cliquez sur le bouton Ombre de la
barre d'outils Dessin. Sélectionnez un style d'ombre.

La Figure 10.5 montre l'effet produit par une ombre personnalisée via la commande Options d'ombre du bouton Ombre. Elle a
été décalée vers la droite et le haut.

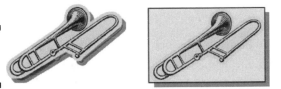

Figure 10.5 :
L'ombre d'un
clipart.

Modifier un clipart

Parfois, un des cliparts fournis par PowerPoint est proche de
ce que vous recherchez sans être exactement ce dont vous
avez besoin. Dans ce cas, vous pouvez insérer l'image puis la
modifier. Par exemple, sur la Figure 10.6, nous voyons deux

versions du même clipart. L'une a été modifiée pour montrer l'effet d'un tremblement de terre sur la célèbre tour de Seattle.

Figure 10.6 :
Vous pouvez
modifier
l'apparence
d'une image.

Avant   Après

Voici comment modifier un clipart.

1. **Cliquez sur l'image à modifier, puis sur le bouton Dessin de la barre d'outils Dessin. Choisissez la commande Dissocier.**

    PowerPoint affiche un message d'avertissement indiquant que vous êtes sur le point de convertir un clipart importé en options de dessin Microsoft Office.

2. **Cliquez sur Oui pour convertir l'image.**

    L'image est convertie, soumise à vos ordres.

3. **Maintenant, dissociez de nouveau l'image.**

    Ne me demandez pas pourquoi PowerPoint ne se souvient pas que vous avez déjà demandé cette dissociation. Quoi qu'il en soit, votre image se retrouve couverte de petits points qui sont autant d'objets picturaux que vous pouvez modifier avec les outils de dessin.

4. **Modifiez l'image.**

    Le clipart est converti en un groupe d'objets. Les outils d'édition de courbe de PowerPoint permettent d'en modifier l'aspect. Utilisez les poignées de contrôle pour reformer l'objet. Vous pouvez également changer sa couleur (voir la section suivante) ou ajouter de nouveaux éléments. Consultez le Chapitre 14.

Après avoir dissocié et modifié une image, vous pouvez la regrouper. Il est plus facile de manipuler une image groupée que dissociée.

Lorsque vous convertissez une image en objet PowerPoint, vous placez une copie du clipart dans votre présentation. Toute modification effectuée ne se reflète que dans votre présentation ; la version originale du clipart n'est pas affectée.

Colorier un clipart

Après avoir inséré un clipart dans votre présentation, vous pouvez en modifier la couleur. N'ayez pas peur ! PowerPoint permet de modifier les couleurs sélectivement. Suivez ces étapes :

1. **Sélectionnez l'image à colorier et cliquez sur le bouton Recolorier l'image de la barre d'outils Image.**

   La boîte de dialogue Recolorier l'image apparaît, comme sur la Figure 10.7.

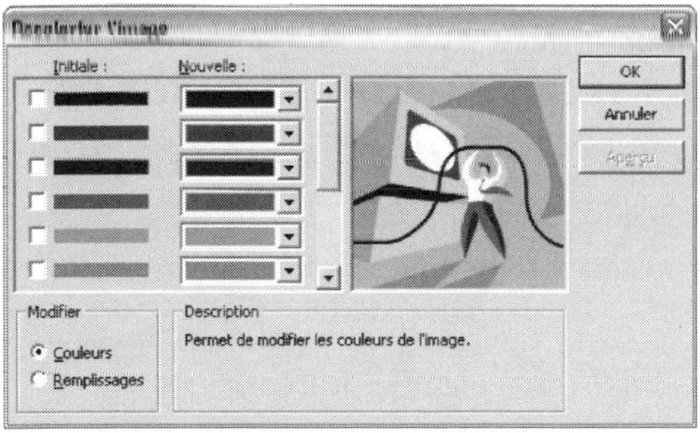

Figure 10.7 : Coloriez vos images.

2. **Dans la liste Initiale, cliquez sur la couleur d'origine que vous désirez modifier.**

3. **Dans la liste adjacente, sélectionnez une nouvelle couleur pour remplacer la couleur choisie.**

La liste affiche un menu de couleurs standard. Si aucune couleur prédéfinie ne vous convient, cliquez sur la commande Autres couleurs. Vous accédez à une boîte de dialogue où vous pouvez personnaliser vos couleurs.

Pour changer la couleur de remplissage sans toucher à la couleur du trait, activez l'option Remplissage de la zone Modifier.

4. **Répétez les étapes 2 et 3 pour chaque couleur à modifier.**

5. **Cliquez sur OK dès que vous avez terminé.**

Trouver des cliparts sur Internet

Si l'immense collection de cliparts livrée avec Office et PowerPoint ne suffit pas, vous pouvez en collecter sur Internet. Si vous disposez d'un accès au Web, cliquez sur le lien Image clipart sur Office en ligne du volet Images de la bibliothèque.

Vous pouvez alors télécharger des cliparts dans une magnifique galerie aux nombreuses catégories. Cette fois, en fonction de la qualité de votre connexion, l'apparition du clipart dans votre présentation sera plus ou moins longue.

Insérer des images sans utiliser la Bibliothèque multimédia Microsoft

PowerPoint permet d'insérer des images directement dans votre document sans utiliser la Bibliothèque multimédia Microsoft. Cette technique permet d'insérer des images qui ne font pas partie d'une collection de cliparts livrée avec PowerPoint. Voici comment procéder :

1. **Affichez la diapositive où vous désirez insérer une image.**

Pour que l'image apparaisse sur chaque diapositive, affichez le Masque des diapositives via Affichage/Masque/Masque des diapositives.

2. Choisissez Insertion/Image/A partir du fichier.

Vous accédez à la boîte de dialogue de la Figure 10.8.

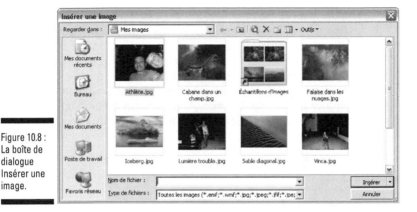

Figure 10.8 :
La boîte de
dialogue
Insérer une
image.

3. Parcourez les méandres de votre disque dur pour trouver le fichier à insérer.

L'image peut se trouver n'importe où. Heureusement, la boîte de dialogue Insérer une image possède tous les contrôles nécessaires pour trouver exactement l'image que vous recherchez. Cliquez sur une des icônes situées à gauche de la boîte de dialogue ou dans la liste Regarder dans.

4. Cliquez sur le fichier voulu, puis sur Insérer.

C'est fait !

Vous pouvez coller une image dans PowerPoint avec la bonne vieille technique du copier-coller. Ici, l'image transite par le Presse-papiers de Windows. Par exemple, vous créez un dessin dans Paint, que vous copiez ensuite dans le Presse-papiers. Vous ouvrez PowerPoint pour y coller cette œuvre enviée de tous.

Insérer une image depuis un scanner ou un appareil photo numérique

Si un scanner est connecté à votre ordinateur, vous pouvez directement numériser l'image dans PowerPoint. Ensuite, cliquez sur Insertion/Image/A partir d'un scanner ou d'un appareil photo numérique. La boîte de dialogue de la Figure 10.9 permet de sélectionner le périphérique de capture et d'indiquer une résolution : Qualité Web ou Qualité impression. Cliquez ensuite sur Insérer. Vous aurez certainement besoin de rogner l'image et de la redimensionner pour qu'elle s'adapte à votre diapositive.

Figure 10.9 :
La boîte de
dialogue
Insérer une
image
numérisée.

Vous pouvez paramétrer votre périphérique de capture en cliquant sur Insertion personnalisée.

Chapitre 11

La fête des couleurs

....

Dans ce chapitre :

▶ Utiliser des jeux de couleurs.

▶ Modifier les couleurs d'un jeu.

▶ Créer de nouvelles couleurs.

▶ Ombrer l'arrière-plan d'une diapositive.

▶ Colorier des objets et du texte.

....

*B*ienvenue dans le monde merveilleux de la couleur ! C'est le moment de faire parler l'artiste qui sommeille en vous. Montez votre chevalet, nettoyez vos pinceaux, et préparez-vous à attaquer la toile vierge de vos diapositives.

Utiliser des jeux de couleurs

Les jeux de couleurs de PowerPoint sont la plus grande invention depuis la roue (qui, je le rappelle au passage, a révolutionné la vie des hommes et se trouve aujourd'hui à la base de nombreuses technologies).

Chaque jeu de couleurs dispose de huit teintes. Chacune d'elles poursuit un objectif précis, comme le montre l'énumération ci-dessous :

▶ **Couleur d'arrière-plan :** Utilisée pour l'arrière-plan des diapositives.

▶ **Couleur des lignes et du texte :** Utilisée pour le texte ou les lignes de la diapositive, à l'exception du titre. Il s'agit généralement d'une couleur qui contraste avec la couleur d'arrière-plan. Si cette couleur est foncée, celle des lignes et du texte est claire, et inversement.

✓ **Couleur des ombres :** Utilisée pour produire des effets d'ombre sur les objets dessinés. Il s'agit généralement d'une version plus foncée de la couleur d'arrière-plan.

✓ **Couleur du titre :** Utilisée pour le titre des diapositives. Le texte du titre contraste lui aussi avec la couleur d'arrière-plan pour être plus visible.

✓ **Couleur de remplissage :** Quand vous créez un objet, comme un rectangle ou une ellipse, cette couleur est la couleur de remplissage par défaut de l'objet.

✓ **Couleur d'accentuation :** Les trois dernières couleurs d'un jeu. Elles peuvent être utilisées pour colorier les barres ou secteurs d'une représentation graphique (diagramme). Deux de ces couleurs servent aux liens hypertextes.

Le jeu de couleurs initial est pris dans le modèle sur lequel se base la présentation, mais chaque modèle inclut des alternatives de jeux de couleurs. Il est toujours possible de modifier le jeu de couleurs d'un modèle pour l'asservir à vos besoins particuliers. Cependant, si vous appliquez un nouveau modèle, son jeu de couleurs écrase toutes les modifications que vous avez réalisées sur le jeu de couleurs original du modèle.

Vous pouvez "écraser" le jeu de couleurs d'une diapositive attachée à un Masque des diapositives. Vous pouvez également modifier la couleur de n'importe quel objet. Vous en apprendrez davantage à ce sujet en lisant les autres sections de ce chapitre.

Ne vous cassez pas la tête avec les jeux de couleurs quand vous envisagez d'imprimer votre présentation sur une imprimante laser noir et blanc. Les diapositives perdraient de leur bel éclat coloré pour apparaître… en nuances de gris.

Utiliser un jeu de couleurs différent

Si vous n'aimez pas le jeu de couleurs de la présentation, voici comment en changer :

1. **Basculez en mode d'affichage Normal.**

2. **Choisissez Format/Mise en page des diapositives.**

   Le volet du même nom apparaît sur le côté droit de la
   fenêtre de PowerPoint.

3. **Cliquez sur la flèche du titre du volet et sélectionnez
   Conception des diapositives - Jeux de couleurs.**

   Le contenu de ce volet apparaît comme sur la Figure 11.1.
   Il affiche tous les jeux de couleurs disponibles pour la
   présentation en cours.

Figure 11.1 :
Changer de
jeu de
couleurs.

4. **Cliquez sur le jeu de couleurs à utiliser.**

   C'est fait !

Pour modifier le jeu de couleurs de plusieurs diapositives, il
suffit de les sélectionner en mode Normal dans l'onglet Diapositives. Appliquez ensuite le jeu de couleurs voulu.

Quand une seule diapo est sélectionnée, cliquez sur Appliquer
à toutes les diapositives pour que la modification se répercute
dans tout le diaporama.

Quand vous changez le jeu de couleurs d'une présentation en cliquant sur la commande Appliquer à toutes les diapositives, aucune diapositive ne fait exception à cette modification globale, même celles auxquelles vous avez assigné un jeu spécifique. Alors, réfléchissez bien avant d'agir. Si vous vous trompez de commandes, appuyez immédiatement sur Ctrl+Z pour annuler l'application du jeu de couleurs.

Modifier les couleurs d'un jeu de couleurs

Pour modifier plusieurs couleurs d'un jeu en cours d'utilisation :

1. **Sélectionnez la diapositive dont vous souhaitez modifier les couleurs du jeu.**

2. **Choisissez Format/Mise en page des diapositives. Cliquez sur la flèche du titre du volet et choisissez Conception des diapositives - Jeux de couleurs.**

   Les jeux de couleurs apparaissent comme sur la Figure 11.1.

3. **Cliquez sur Modifier les jeux de couleurs en bas du volet.**

   La boîte de dialogue Modifier un jeu de couleurs apparaît, comme l'illustre la Figure 11.2.

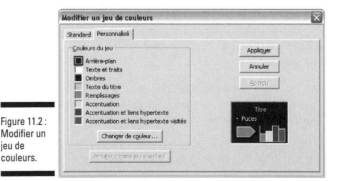

Figure 11.2 :
Modifier un
jeu de
couleurs.

4. Cliquez sur la couleur à modifier.

Pour modifier la couleur d'arrière-plan, cliquez sur la nuance Arrière-plan.

5. Cliquez sur le bouton Changer de couleur.

Une boîte de dialogue semblable à celle de la Figure 11.3 apparaît. Comme vous pouvez le constater, PowerPoint affiche une version toute personnelle d'un échiquier chinois.

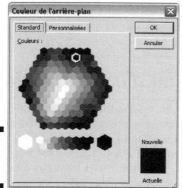

Figure 11.3 :
Modifier une
couleur.

6. Cliquez sur la couleur que vous désirez utiliser, puis sur OK.

Si vous travaillez en noir et blanc, choisissez une des couleurs situées en bas de cette boîte de dialogue. Dès que vous cliquez sur OK, vous revenez dans la boîte de dialogue Modifier un jeu de couleurs.

7. Choisissez Appliquer.

La modification s'applique au modèle de couleurs.

Changer une couleur risque de déséquilibrer le jeu de couleurs mis au point par des professionnels (je vous le rappelle).

Figure 11.4 :
PowerPoint
offre des
millions de
couleurs.

Ombrer l'arrière-plan d'une diapositive

Vous avez remarqué que l'arrière-plan des diapositives de la plupart des modèles n'est pas une couleur unie. Il s'agit souvent d'un dégradé qui s'étend de haut en bas. Par exemple, regardez la diapositive de la Figure 11.5. Elle est basée sur un modèle de PowerPoint, mais son jeu de couleurs a été modifié et l'arrière-plan ombré pour obtenir cet effet.

L'ombrage de l'arrière-plan a les mêmes incidences que les jeux de couleurs. Si vous l'appliquez à toutes les diapositives, le Masque des diapositives est affecté, de même que toutes les diapos qui en dépendent. Il est également possible d'appliquer l'ombrage à une seule diapositive. Suivez ces étapes :

1. **Sélectionnez la diapositive à ombrer.**

   Cette étape n'est pas nécessaire si vous désirez appliquer l'ombrage à toutes les diapositives de la présentation.

2. **Choisissez Format/Arrière-plan.**

   La boîte de dialogue Arrière-plan apparaît. Elle dispose d'une liste déroulante sous la zone de remplissage de l'arrière-plan.

3. **Dans la liste, sélectionnez Motifs et textures.**

La boîte de dialogue de même nom apparaît, comme le montre la Figure 11.6.

Figure 11.5 :
Utilisez un remplissage en dégradé pour créer des effets d'arrière-plan étonnants.

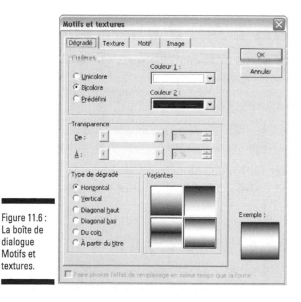

Figure 11.6 :
La boîte de dialogue Motifs et textures.

4. Dans l'onglet Dégradé, choisissez le type de dégradé à appliquer.

Commencez par sélectionner le nombre de couleurs de l'ombrage, Unicolore, Bicolore ou Prédéfini. Choisissez les couleurs de début et de fin du dégradé, puis son style – Horizontal, Vertical, Diagonal haut, Diagonal bas, Du coin et À partir du titre.

Vous pouvez utiliser des dégradés prédéfinis en activant l'option du même nom dans la zone Couleurs, puis en choisissant un type de dégradé dans la liste Couleurs prédéfinies.

5. Cliquez sur OK, pour revenir dans la boîte de dialogue Arrière-plan, puis sur Appliquer ou sur Appliquer partout.

En cliquant sur le bouton Appliquer, vous n'effectuez des changements que dans la ou les diapositives sélectionnées. En revanche, Appliquer partout opère des changements dans toute la présentation.

C'est fini ! Admirez votre œuvre.

Utiliser d'autres effets d'arrière-plan

La commande Arrière-plan fournit plusieurs autres types d'effets très intéressants. Tous ces effets – Texture, Motif et Image – sont accessibles via la boîte de dialogue Motifs et textures illustrée Figure 11.6.

Si vous cliquez sur l'onglet Texture, vous accédez au contenu de la Figure 11.7 où vous avez le choix entre plusieurs textures.

Si vous cliquez sur l'onglet Motif, vous accédez à 48 motifs prédéfinis dont vous pouvez modifier les couleurs de premier et d'arrière-plan.

Colorier du texte et des objets

Normalement, le jeu de couleurs que vous choisissez pour une diapositive détermine la couleur des divers objets qui

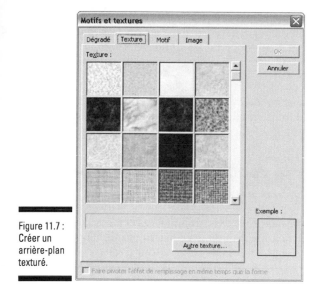

Figure 11.7 :
Créer un
arrière-plan
texturé.

la composent. Si la couleur du texte est jaune, le texte de
toutes les diapositives sera jaune. Si la couleur de remplissage
est orange, tous les objets seront oranges.

Si vous modifiez les couleurs du jeu de couleurs, tous les
objets de la diapositive qui suivent ce jeu de couleurs sont
affectés. Mais que se passe-t-il si vous désirez changer la
couleur d'un seul objet sans altérer le jeu de couleurs ou les
objets similaires présents sur d'autres diapositives ? Pas de
problème ! PowerPoint vous permet d'écraser le jeu de couleurs de n'importe quel objet d'une diapositive. Les sections
suivantes expliquent comment faire.

Appliquer la couleur au texte

Pour modifier la couleur d'un objet textuel, commencez par
sélectionner le texte. Ensuite, choisissez Format/Police.
Sélectionnez une couleur dans la liste Couleur, ou cliquez sur
son option Autres couleurs pour définir une teinte personnalisée ou pour en choisir une issue d'un jeu de couleurs.

L'option Autres couleurs ouvre la boîte de dialogue Couleurs où vous sélectionnez des teintes dans les onglets Standard et Personnalisées. Vos couleurs personnalisées sont affichées dans la partie inférieure de la liste Couleur de la boîte de dialogue Police.

Vous pouvez rapidement changer la couleur d'un texte en le sélectionnant, puis en cliquant sur une des couleurs du menu local du bouton Couleur de police.

Modifier la couleur de remplissage ou de trait d'un objet

Quand vous dessinez un objet comme un rectangle ou une ellipse, PowerPoint le remplit avec la couleur de remplissage du jeu de couleurs, et dessine son contour (trait) avec la couleur de trait de ce même jeu. Vous pouvez modifier ces deux couleurs en utilisant les boutons Couleur de remplissage et Couleur du trait de la barre d'outils Dessin. Voici comment procéder :

1. **Sélectionnez l'objet dont vous désirez modifier la couleur de remplissage.**

2. **Pour altérer la couleur de remplissage, cliquez sur la flèche du bouton Couleur de remplissage. Choisissez une couleur dans le menu qui apparaît.**

3. **Pour modifier la couleur de trait de l'objet, cliquez sur la flèche du bouton Couleur du trait. Choisissez une couleur dans le menu qui apparaît.**

    C'est tout !

Pour créer un objet transparent – c'est-à-dire un objet qui ne contient pas de remplissage –, cliquez sur le bouton Couleur de remplissage et choisissez Aucun remplissage. Pour créer un objet sans trait, cliquez sur le bouton Couleur du trait et choisissez Aucun trait.

Le bouton Couleur de remplissage contient une commande Motifs et textures qui permet d'appliquer des dégradés, des motifs, des textures et des images à un objet. Les options de ces fonctions sont les mêmes que celles illustrées Figures 11.6 et 11.7.

Créer un objet semi-transparent

Vous pouvez créer un remplissage semi-transparent. Il suffit de sélectionner l'objet que vous désirez rendre transparent. Ensuite, cliquez sur Format/Forme automatique.

La boîte de dialogue Format de la forme automatique apparaît comme sur la Figure 11.8. Faites glisser le curseur Transparence pour appliquer à l'objet la transparence voulue. La valeur initiale de la transparence est de 0 %, c'est-à-dire une opacité totale. Plus vous déplacez le curseur vers la droite, plus la valeur de transparence augmente. A 100 %, l'objet devient invisible. Cliquez sur Aperçu pour apprécier l'effet de votre transparence. Si cela vous convient, validez en cliquant sur OK.

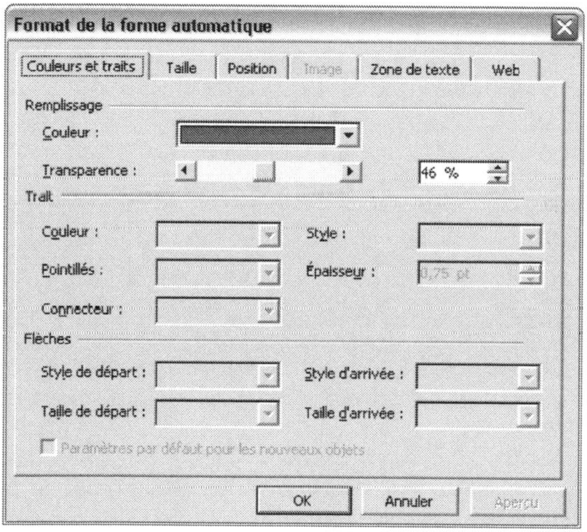

Figure 11.8 :
Transparence d'une couleur...
L'objet fantôme !

Chapitre 12
Les masques

Les *masques* représentent le meilleur moyen d'ajouter des éléments sur les diapositives d'une présentation. Inutile de procéder diapositive par diapositive. Vous ajoutez les éléments au masque, et vous les retrouvez sur toutes les diapositives qui y sont attachées. Dès que vous supprimez le masque, les éléments disparaissent. Très convaincant, n'est-ce pas ?

Travailler avec des masques

Dans PowerPoint, un masque gère l'apparence de toutes les diapositives ou de toutes les pages d'une présentation. Chaque présentation dispose de quatre masques :

✔ **Masque des diapositives :** Dicte le format de vos diapositives.

✔ **Masque de titre :** Définit la mise en page de la diapositive de titre de la présentation. Ce masque permet de donner aux titres des diapositives un aspect différent des autres diapositives de la présentation.

✔ **Masque du document :** Contrôle l'aspect des documents imprimés pour votre auditoire.

✔ **Masque des pages de commentaires :** Détermine les caractéristiques d'impression des commentaires.

Chaque masque spécifie l'apparence du texte (police, taille et couleur, par exemple), la couleur d'arrière-plan de la diapositive, la mise en page des espaces réservés, et tout texte ou objet supplémentaire que vous souhaitez faire apparaître sur chaque diapositive ou page.

Les masques ne sont pas facultatifs. Toute présentation en possède. Cependant, vous pouvez les modifier pour mettre en forme des objets contenus dans le masque d'une diapositive spécifique. Cette possibilité permet de varier l'apparence des diapositives quand cela est nécessaire.

Une des plus grandes nouveautés de PowerPoint est la possibilité de créer plusieurs Masques de titre ou des diapositives en une seule présentation. Cela permet de mélanger plusieurs conceptions de diapositives. En revanche, vous ne pouvez avoir qu'un seul Masque des pages de commentaires et du document dans chaque présentation.

Modifier le Masque des diapositives

Si vous n'aimez pas la mise en page de vos diapositives, appelez le Masque des diapositives et procédez comme suit :

1. **Choisissez Affichage/Masque/Masque des diapositives ou maintenez enfoncée la touche Maj et cliquez sur le bouton Mode Masque des diapositives.**

   Si vous utilisez la commande Affichage/Masque, un sous-menu apparaît. Il contient les trois masques (Diapositive, Document et Commentaires). Choisissez Masque des diapositives pour afficher ce dernier.

2. **Admirez le masque dans toute sa splendeur.**

   La Figure 12.1 montre un Masque des diapositives typique. Vous y voyez la marque de réserve du titre et du texte courant reposant sur les objets d'arrière-plan. Notez également que le Masque des diapositives inclut des marques de réserve pour trois objets situés en bas de la diapositive : la Zone de date, la Zone de pied de page et la Zone de numérotation. Ces zones sont utilisées par la commande Affichage/En-tête et pied de page que nous étudions dans la section "Utiliser des en-têtes et des pieds de page" plus loin dans ce chapitre.

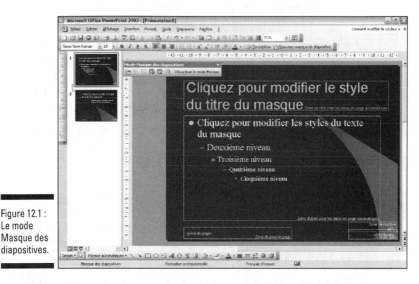

Figure 12.1 :
Le mode
Masque des
diapositives.

Si la diapositive de titre était sélectionnée quand vous avez appelé le mode Masque des diapositives, vous voyez le Masque de titre au lieu du Masque des diapositives. Il vous suffit d'appuyer sur la touche Page Up pour afficher le Masque des diapositives.

3. Effectuez toutes les modifications de mise en forme voulues.

Sélectionnez le texte auquel vous désirez appliquer un nouveau style et faites les modifications de formatage désirées. Si vous souhaitez, par exemple, que les titres des diapositives soient en italique, sélectionnez le texte du titre et appuyez sur Ctrl+I, ou cliquez sur le bouton Italique de la barre d'outils Mise en forme.

Si la mise en forme du texte vous pose problème, consultez le Chapitre 9.

4. **Cliquez sur le bouton Désactiver le mode Masque de la barre d'outils Mode Masque des diapositives.**

Vous pouvez également cliquer sur le bouton Mode Normal. Vous revenez à la diapositive qui était ouverte quand vous avez affiché le Masque des diapositives. L'effet de vos modifications est immédiat.

PowerPoint applique les formats de caractères comme le gras, l'italique, la taille et la police à tout le paragraphe quand vous travaillez en mode Masque des diapositives. Il n'est pas nécessaire de sélectionner le paragraphe avant d'appliquer le format ; contentez-vous de cliquer n'importe où dedans.

Vous notez que le corps du texte contient cinq niveaux de plan préformatés avec des tailles de caractères différentes, des retraits et des styles de puces. Vous pouvez modifier le formatage d'un niveau de plan.

 Vous pouvez modifier n'importe quel objet du masque en cliquant dessus. Contrairement aux espaces réservés du titre et de l'objet, tout texte saisi dans les autres objets du Masque des diapositives apparaît sur chaque diapositive à l'endroit exact où vous le placez sur le masque.

Pour vous aider à mieux comprendre les outils de la barre Mode Masque des diapositives, consultez le Tableau 12.1.

Ajouter du texte récurrent

Pour ajouter un texte revenant sur chaque diapositive :

1. **Appelez le mode Masque des diapositives.**

Choisissez Affichage/Masque/Masque des diapositives ou maintenez la touche Maj enfoncée et cliquez sur Mode Masque des diapositives.

2. **Cliquez sur le bouton Zone de texte de la barre d'outils Dessin.**

Le pointeur de la souris prend la forme d'une croix.

Tableau 12.1 : Les boutons de la barre d'outils Mode Masque des diapositives.

Bouton	Fonction
	Insère une nouvelle diapositive.
	Insère un nouveau Masque de titre.
	Supprime le masque.
	Conserve le masque (protection).
	Renomme le masque.
	Affiche la boîte de dialogue Mise en page du masque.
Désactiver le mode Masque	Bascule vers le mode Normal.

3. **Cliquez où vous désirez ajouter du texte.**

   PowerPoint place un objet textuel à cette position.

4. **Saisissez le texte que vous désirez faire apparaître sur chaque diapositive.**

   Par exemple : **Appelez maintenant le 01 800 555 !**

5. **Formatez le texte.**

   Par exemple, pour mettre le texte en gras, appuyez sur Ctrl+G.

6. **Cliquez sur le bouton Mode Normal pour revenir à votre présentation.**

Après avoir placé un objet sur le Masque des diapositives, vous pouvez le déplacer à la souris et le redimensionner.

L'objet sera au même emplacement avec une taille identique sur chaque diapositive.

Pour supprimer un objet du Masque des diapositives, cliquez dessus et appuyez sur la touche Suppr. Pour supprimer un objet textuel, vous devez d'abord cliquer sur l'objet puis sur son cadre. Appuyez ensuite sur la touche Suppr.

Si vous ne pouvez pas sélectionner l'objet, vérifiez si vous êtes toujours en mode Masque des diapositives. Si ce n'est pas le cas, maintenez la touche Maj enfoncée et cliquez sur le bouton Mode Masque des diapositives.

Modifier le jeu de couleurs du masque

Vous pouvez utiliser le Masque des diapositives pour modifier le jeu de couleurs utilisé sur chaque diapositive de la présentation. Voici comment procéder :

1. **Choisissez Affichage/Masque/Masque des diapositives, ou maintenez la touche Maj enfoncée et cliquez sur le bouton Mode Masque des diapositives.**

2. **Choisissez Format/Conception de diapositive pour afficher le volet du même nom. Cliquez ensuite sur le lien Jeux de couleurs et appliquez le jeu souhaité.**

Reportez-vous au Chapitre 11 pour en savoir davantage sur les jeux de couleurs.

Si vous n'avez pas d'imprimante couleur, ne perdez pas de temps avec les jeux de couleurs, sauf si votre présentation est diffusée par un projecteur. En effet, sur une imprimante laser noir et blanc, le mauve, le bleu et le rouge donnent un gris quasi identique.

Faites confiance aux professionnels qui ont déterminé les jeux de couleurs par défaut de PowerPoint. Inutile de se casser la tête à personnaliser des diapositives dont les couleurs risquent d'être tape-à-l'œil.

Pour ajuster l'ombrage appliqué à la couleur d'arrière-plan des diapositives, choisissez Format/Arrière-plan. Le Chapitre 11 vous pilote dans cette fonction.

Modifier le Masque de titre

PowerPoint conserve la mise en page des diapositives de titre sur un masque spécifique. De cette manière, vous pouvez appliquer différentes mises en page aux diapositives constituant la présentation. Fini la monotonie ! En mode Masque des diapositives, une miniature du Masque de titre apparaît sous celle du Masque des diapositives (à gauche de l'écran). Cliquez sur la miniature représentant le Masque de titre (que l'on pourrait d'ailleurs appeler Titre du masque).

La Figure 12.2 montre le Masque de titre. Comme vous pouvez le constater, il contient les mêmes éléments de mise en page que le Masque des diapositives. La seule différence est que "Zone d'objet pour les mises en page automatiques" est remplacé par "Zone de sous-titre pour les mises en page automatiques".

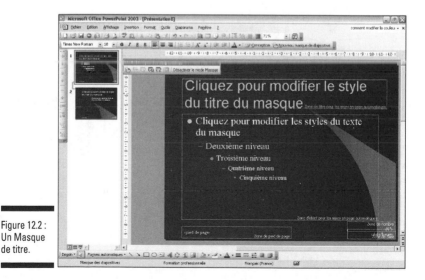

Figure 12.2 : Un Masque de titre.

Modifier le Masque du document et le Masque des pages de commentaires

Comme le Masque des diapositives, ceux du document et des pages de commentaires contiennent des informations de mise en page qui s'appliquent automatiquement à votre présentation. Cette section indique comment modifier ces masques.

Modifier le Masque du document

Voici comment modifier le Masque du document :

1. **Choisissez Affichage/Masque/Masque du document, ou maintenez la touche Maj enfoncée et cliquez sur le bouton Mode Trieuse de diapositives.**

   Le Masque du document apparaît, comme sur la Figure 12.3.

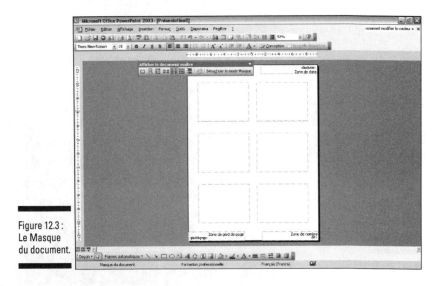

Figure 12.3 :
Le Masque
du document.

2. **Etudiez-le.**

Le Masque du document présente l'organisation des diapositives sur le document qui doit être remis à votre auditoire. Vous pouvez imprimer deux, trois, quatre, six et neuf diapositives par page. Vous pouvez déambuler parmi ces mises en page en cliquant sur le bouton adéquat de la barre d'outils flottante Afficher le document maître. Malheureusement, vous ne pouvez pas déplacer, redimensionner ou supprimer la diapositive et les espaces réservés qui apparaissent sur le Masque du document. En revanche, vous pouvez ajouter ou modifier des éléments qui doivent apparaître sur chaque page du document comme votre nom et votre numéro de téléphone, voire même une plaisanterie bien saignante.

3. **Cliquez sur Désactiver le mode Masque de la barre d'outils Afficher le document maître.**

   Vous revenez en mode Normal.

4. **Imprimez le document pour voir si les modifications apportées sont bien validées.**

   Les éléments du Masque du document sont invisibles tant que vous ne les imprimez pas. Vous devez donc imprimer au moins un document pour apprécier vos modifications.

Modifier le Masque des pages de commentaires

Quand vous imprimez, les pages de commentaires sont formatées selon le Masque des pages de commentaires. Pour modifier le Masque des pages de commentaires :

1. **Choisissez Affichage/Masque/Masque des pages de commentaires.**

   Le Masque des pages de commentaires apparaît, comme illustré sur la Figure 12.4.

2. **Soyez indulgent avec vous-même.**

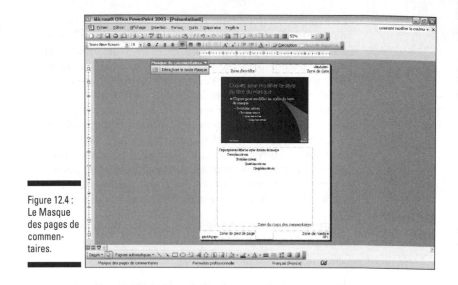

Figure 12.4 :
Le Masque
des pages de
commen-
taires.

Le Masque des pages de commentaires contient deux espaces réservés : l'un pour le texte des commentaires, l'autre pour la diapositive. Vous pouvez déplacer ou modifier la taille des objets, mais aussi modifier le format du texte contenu dans les espaces réservés des commentaires. Vous pouvez ajouter ou modifier des éléments qui doivent apparaître sur chaque page du document. Notez également les emplacements de l'en-tête, du pied de page et des numéros de page.

3. **Cliquez sur Désactiver le mode Masque de la barre d'outils Masque de commentaires.**

Vous revenez au mode Normal.

4. **Imprimez vos commentaires pour voir si tout a bien été pris en compte.**

Si vous préférez, choisissez Fichier/Aperçu avant impression pour vérifier l'aspect de vos pages de commentaires.

Utiliser des masques

Vous n'avez rien à faire de spécial pour appliquer des formats depuis un masque. Toutes les diapositives prennent automatiquement le format défini dans le masque, sauf stipulation contraire expresse.

Passer outre le style du texte du masque

Pour passer outre le style du texte spécifié par le Masque des diapositives ou du titre, contentez-vous de formater le texte en mode Normal. Le format ne s'applique qu'au texte sélectionné. Le Masque des diapositives et celui du titre ne sont pas affectés.

La seule méthode pour modifier le style d'un masque est de basculer en mode d'affichage Masque. Dans ce cas, les modifications s'appliquent à toutes les diapositives.

Si vous modifiez la mise en page et le formatage des éléments textuels de la diapositive (par exemple, si vous déplacez l'espace réservé du titre ou modifiez la police de ce dernier) et considérez que c'était mieux avant, vous pouvez appliquer rapidement le style du texte depuis le Masque des diapositives. Choisissez Format/Conception de diapositive pour accéder au volet du même nom. Cliquez sur la flèche située à droite de l'icône de la mise en page, et choisissez l'option qui permet d'appliquer l'ancienne mise en page.

Masquer des objets d'arrière-plan

Le Masque des diapositives et celui de titre permettent d'ajouter des objets d'arrière-plan qui apparaissent sur chaque diapositive de votre présentation. Vous pouvez, cependant, cacher les objets d'arrière-plan des diapositives sélectionnées. Vous pouvez également modifier la couleur d'arrière-plan ou les effets utilisés pour une diapositive individuelle. Voici comment procéder :

1. **Affichez la diapositive à laquelle vous souhaitez appliquer un arrière-plan uni.**

2. Choisissez Format/Arrière-plan.

La boîte de dialogue Arrière-plan apparaît, comme sur la Figure 12.5. Pour des commentaires, choisissez Format/ Arrière-plan des commentaires.

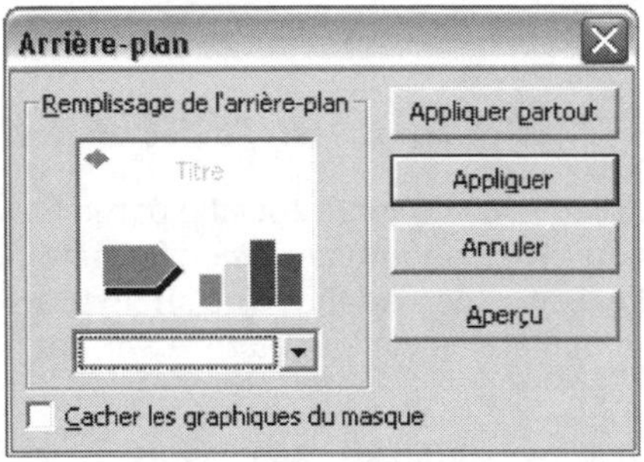

Figure 12.5 :
La boîte de
dialogue
Arrière-plan.

3. Cochez la case Cacher les graphiques du masque.

Validez cette option si vous souhaitez cacher les objets d'arrière-plan du masque.

4. Modifiez, si nécessaire, le remplissage d'arrière-plan.

Vous pouvez soit opter pour une autre couleur d'arrière-plan, soit ajouter un effet comme un motif ou une texture (voir le Chapitre 11).

5. Cliquez sur le bouton Appliquer ou appuyez sur la touche Entrée.

Si, à l'étape 3, vous cochez l'option Cacher les graphiques du masque, les objets d'arrière-plan du Masque des diapositives disparaissent de la diapositive active. Si vous avez modifié la couleur ou l'effet d'arrière-plan, vous appréciez également des modifications.

Cacher les objets d'arrière-plan ou modifier la couleur et les effets d'arrière-plan ne s'appliquent qu'à la diapositive en cours.

Voici comment ne cacher qu'une partie des objets d'arrière-plan :

1. Suivez les étapes 1 à 5 de la précédente énumération pour cacher des objets d'arrière-plan de la diapositive.

2. Appelez l'affichage en mode Masque (Affichage/ Masque/Masque des diapositives).

3. Maintenez la touche Maj enfoncée, et cliquez sur chaque objet qui doit rester visible.

4. Appuyez sur Ctrl+C pour copier ces objets dans le Presse-papiers.

5. Revenez en mode Normal.

6. Appuyez sur Ctrl+V pour coller les objets du Presse-papiers.

7. Choisissez Dessin/Ordre/Mettre à l'arrière-plan si les objets cachent les autres objets ou texte de la diapositive. (Le menu Dessin se trouve sur la barre d'outils Dessin.)

Utiliser des en-têtes et des pieds de page

Les en-têtes et les pieds de page permettent de répéter du texte en haut et en bas de chaque diapositive, document ou page de commentaires. Vous pouvez également ajouter l'heure et la date, le numéro de la diapositive, de la page, ou toute autre information devant apparaître sur chaque diapositive ou page, comme votre nom, ou encore le titre de la présentation.

Le Masque des diapositives et le Masque de titre de PowerPoint incluent trois espaces réservés pour ces informations :

✔ La *Zone de date* peut être utilisée pour afficher la date et l'heure.

✔ La *Zone de numérotation* peut être utilisée pour afficher le numéro de la diapositive.

✔ La *Zone de pied de page* peut être utilisée pour afficher n'importe quel texte que vous désirez voir sur chaque diapositive.

Le Masque du document et le Masque des pages de commentaires disposent d'un quatrième espace réservé, la *Zone d'entête*, qui fournit une zone supplémentaire de texte à afficher sur chaque page.

Ajouter une date, un numéro ou un pied de page aux diapositives

Pour ajouter une date, un numéro de diapositive ou un pied de page à vos diapositives, suivez ces étapes :

1. **Choisissez Affichage/En-tête et pied de page.**

   La boîte de dialogue du même nom apparaît, comme sur la Figure 12.6. (Si nécessaire, cliquez sur l'onglet Diapositive pour accéder aux options de pied de page comme sur l'illustration.)

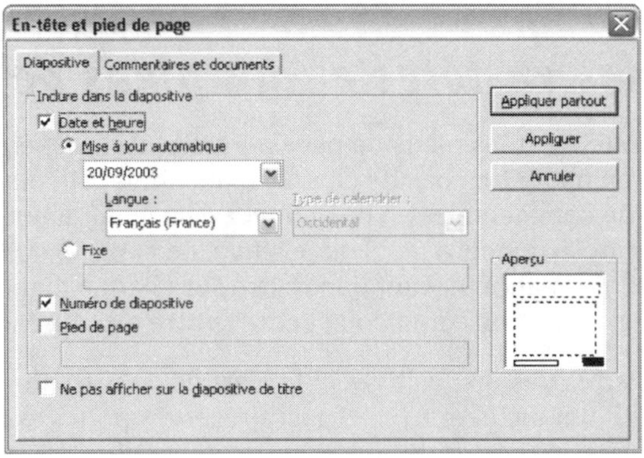

Figure 12.6 :
La boîte de dialogue Entête et pied de page.

2. **Pour afficher la date, cochez la case Date et heure. Sélectionnez ensuite le format de date dans la liste située sous l'option Mise à jour automatiquement.**

   Alternativement, vous pouvez saisir n'importe quel texte dans le champ Fixe. Le texte saisi apparaît dans la Zone de date du Masque des diapositives ou du Masque de titre.

3. **Pour afficher les numéros des diapositives, cochez la case du même nom.**

4. **Pour afficher un pied de page sur chaque diapositive, cochez la case du même nom, puis saisissez le contenu du pied de page dans le champ situé en dessous.**

   Par exemple, vous pouvez saisir votre nom, celui de votre société, un message subliminal ou le nom de votre présentation.

5. **Si vous désirez faire apparaître la date, le numéro et le pied de page sur chaque diapositive sauf celle de titre, cochez la case Ne pas afficher sur la diapositive de titre.**

6. **Cliquez sur Appliquer partout.**

Si le diaporama doit être présenté à une date précise, saisissez-la directement dans le champ Fixe. Vous pouvez utiliser cette technique pour antidater les présentations, ce qui constituera un superbe alibi en cas de problème avec la police.

Si vous souhaitez modifier les zones de pied de page d'une diapositive, cliquez sur Appliquer au lieu d'Appliquer partout.

Oui, vous pouvez utiliser deux masques

Enfin, les concepteurs de PowerPoint ont décidé qu'il était possible d'utiliser plusieurs masques dans une même présentation.

Avant de vous montrer comment faire, je veux être certain que vous comprenez bien la différence qui existe entre les Masques des diapositives et les Masques de titre. Chaque présentation possède au moins un Masque des diapositives. Chaque Masque des diapositives peut avoir ou non un Masque de titre.

Supposons que vous créiez une nouvelle présentation qui commence par un Masque des diapositives et un Masque de titre. Ensuite, vous concevez la présentation en ajoutant deux autres Masques des diapositives pour créer une nouvelle conception de diapositive. La présentation dispose maintenant de trois Masques des diapositives mais d'un seul Masque de titre.

Si vous voulez ajouter un autre Masque de titre, celui-ci doit être couplé avec un Masque des diapositives existant. Donc, vous pouvez ajouter un Masque de titre à chaque nouveau Masque des diapositives créé.

Les sections suivantes expliquent comment utiliser plusieurs masques.

Créer un nouveau Masque des diapositives

Pour ajouter un nouveau masque à une présentation :

1. **Choisissez Affichage/Masque/Masque des diapositives afin de basculer en mode d'affichage des masques.**

2. **Cliquez sur le bouton Insérer le nouveau masque de la diapositive.**

   Un nouveau Masque des diapositives apparaît, comme sur la Figure 12.7. Notez qu'une miniature de ce masque s'affiche dans le volet de gauche, et que le nouveau masque utilise les paramètres par défaut de PowerPoint (arrière-plan blanc, texte noir et ainsi de suite).

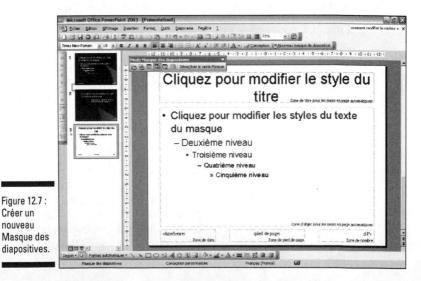

Figure 12.7 :
Créer un
nouveau
Masque des
diapositives.

3. **Modifiez le nouveau Masque des diapositives.**

   Vous pouvez appliquer n'importe quel formatage :
   modifier la couleur d'arrière-plan, ajouter des objets, etc.

4. **Cliquez sur Désactiver le mode Masque pour revenir en
   mode Normal.**

   Vous pouvez utiliser le nouveau masque ainsi créé. (Voir
   la section "Appliquer des masques", plus loin dans ce
   chapitre.)

Une autre manière de créer un nouveau Masque des diapositives consiste à dupliquer un masque existant. Lorsque vous
procédez ainsi, le nouveau Masque des diapositives hérite des
paramètres de l'original. Cela vous fait gagner énormément de
temps, surtout quand le nouveau masque doit contenir des
modifications mineures par rapport aux autres.

Pour dupliquer un Masque des diapositives, cliquez sur la
miniature du masque à dupliquer et appuyez sur Ctrl+D ou
choisissez Edition/Dupliquer.

Pour supprimer un Masque des diapositives, cliquez sur sa
miniature et appuyez sur la touche Suppr. Vous pouvez aussi
cliquer sur le bouton Supprimer le masque de la barre d'outils
Mode Masque des diapositives, ou choisir Edition/Supprimer le
masque.

Créer un nouveau Masque de titre

Vous pouvez ajouter un nouveau Masque de titre à n'importe
quel Masque des diapositives qui n'en possède pas. Commencez par sélectionner un Masque des diapositives disponible en
cliquant sur sa représentation miniature, puis choisissez
Insertion/Nouveau masque de diapositive. Un nouveau Masque
de titre apparaît, comme sur la Figure 12.8.

Sur cette figure, vous voyez que le Masque de titre et le
Masque des diapositives sont connectés. Cette ligne indique
que les deux masques sont couplés.

Quand vous créez un Masque de titre, il hérite du format du
Masque des diapositives. Cependant, une fois créés, les deux

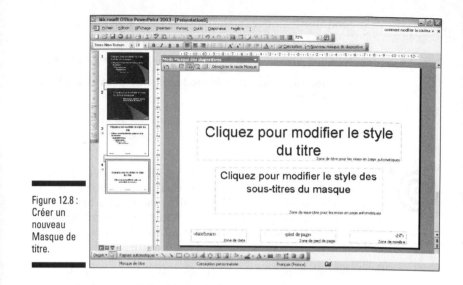

Figure 12.8 :
Créer un
nouveau
Masque de
titre.

masques sont indépendants l'un de l'autre. Vous pouvez
modifier le format du Masque des diapositives sans affecter
celui du Masque de titre, et inversement.

Pour supprimer un Masque de titre, cliquez sur sa représentation miniature et appuyez sur la touche Suppr. Vous pouvez
également cliquer sur le bouton Supprimer le masque de la
barre d'outils Mode Masque des diapositives, ou choisir
Edition/Supprimer le masque. Si vous supprimez un Masque
des diapositives couplé à un Masque de titre, ce dernier
disparaît également.

Appliquer des masques

Si vous avez créé plusieurs masques dans une présentation,
vous pouvez sélectionner celui à utiliser pour chaque diapositive. Voici comment appliquer un masque à une ou plusieurs
diapositives :

1. **Sélectionnez la ou les diapositives auxquelles vous
désirez appliquer un Masque des diapositives.**

Cliquez sur la miniature de la diapositive concernée. Afin d'en sélectionner plusieurs, maintenez la touche Ctrl enfoncée tout en cliquant sur les diapositives.

2. **Choisissez Format/Conception de diapositive pour afficher le volet du même nom sur le côté droit de la fenêtre de PowerPoint.**

   Sur la Figure 12.9, vous voyez le volet Conception de diapositive avec deux diapos sélectionnées.

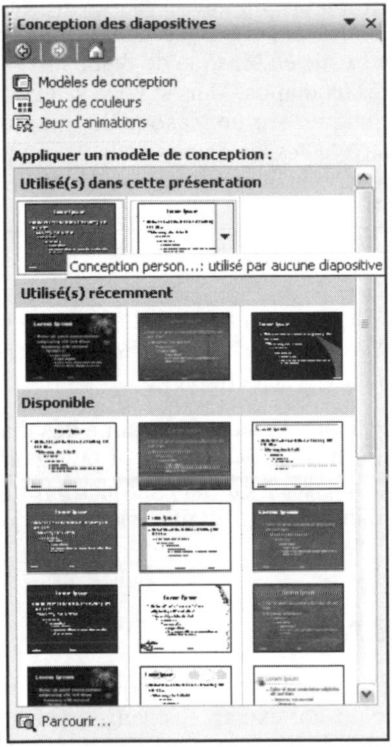

Figure 12.9 .
Le volet
Conception
des diaposi-
tives permet
d'appliquer
des Masques
de diaposi-
tives à vos
diapositives.

Le volet Configuration de diapositive affiche les miniatu-res des Masques des diapositives et des modèles de conception. La première section de cette liste, "Utilisé(s) dans cette présentation", affiche une miniature de chaque Masque des diapositives de la présentation. (Pour plus d'informations sur les modèles de conception, reportez-vous au Chapitre 13.)

3. **Cliquez sur la flèche située à droite de la miniature du Masque des diapositives. Choisissez Appliquer aux diapositives sélectionnées.**

Le Masque des diapositives est appliqué aux diapositives sélectionnées.

Ne cliquez pas sur la miniature du Masque des diapositives dans le volet Conception des diapositives ou vous risquez d'être surpris du résultat. Si vous sélectionnez plusieurs diapositives et cliquez sur un Masque de diapositives, ce dernier est appliqué aux diapos. Mais si vous sélectionnez une seule diapositive et cliquez sur un Masque des diapositives, ce masque est appliqué à *toutes* les diapos de la présentation. Pire ! PowerPoint ne va certainement pas se gêner de supprimer le Masque des diapositives déjà appliqué aux diapos de cette présentation. En d'autres termes, ce peut être catastrophique.

Pour éviter cela, je clique toujours sur la flèche située à droite de la miniature du Masque des diapositives, et choisis ensuite Appliquer aux diapositives sélectionnées.

Si vous appliquez accidentellement le Masque des diapositives à toutes les diapos de votre présentation, appuyez immédiatement sur Ctrl+Z, ou choisissez Edition/Annuler pour retrouver votre présentation dans l'état qui était le sien avant votre méprise.

Tomber le masque

PowerPoint permet de supprimer les Masques des diapositives que vous n'utilisez plus. Par exemple, si vous créez un nouveau Masque des diapositives que vous appliquez à toutes vos diapos, PowerPoint présume que vous n'avez plus besoin du Masque des diapositives d'origine. L'original est donc supprimé.

Vous pouvez éviter cela en utilisant l'option Conserver le masque de votre Masque des diapositives. Tout nouveau

Masque des diapositives créé dispose de cette option par défaut. Ce type de masque ne sera donc pas supprimé automatiquement. Vérifiez malgré tout l'activation de cette option, car elle n'est pas forcément opérationnelle quand vous commencez une nouvelle présentation.

Pour conserver un masque, cliquez sur la miniature du masque à préserver, puis sur le bouton Conserver le masque. Une petite icône d'épingle apparaît à côté de la miniature du masque pour bien montrer qu'il est préservé.

Ne cliquez pas sur le bouton Conserver le masque à tort et à travers ! Vérifiez que le masque est conservé avant de cliquer, car cliquer sur le bouton Conserver le masque pour un masque déjà préservé a pour effet de supprimer cette protection.

Chapitre 13

Tout
sur les (top) modèles

* *

Dans ce chapitre :

▶ Comprendre les modèles.

▶ Utiliser des modèles pour créer de nouvelles présentations.

▶ Changer le modèle d'une présentation.

▶ Créer vos propres modèles.

▶ Créer un modèle par défaut pour vos présentations vierges.

* *

L a création d'une présentation n'est plus une tâche insur-
montable. En revanche, créer une présentation dont
l'apparence correspond exactement à ce que vous cherchez
est, si vous me permettez l'expression, une autre paire de
manches.

Remercions donc les *modèles*. Il s'agit de présentations
PowerPoint qui disposent de Masques des diapositives et de
titre prédéfinis.

Puisque tous les modèles de PowerPoint ont une belle apparence, vos présentations en profiteront indéniablement. Le
modèle fournit le jeu de couleurs de la présentation, jeu de
couleurs qu'il vous est permis de modifier à souhait.

Certains modèles ne contiennent que des Masques des diapositives et de titre. Comme ils sont vides de tout contenu, on les
appelle *modèles de conception*. D'autres modèles contiennent
des exemples de contenu. Ils sont prioritairement utilisés par
l'Assistant Sommaire automatique.

Le modèle étant une présentation, vous pouvez l'ouvrir et le modifier selon votre bon vouloir.

Créer une présentation basée sur un modèle

Pour créer une nouvelle présentation à partir d'un modèle, choisissez Fichier/Nouveau qui affiche le volet Nouvelle présentation. Dans la section Créer, cliquez sur A partir du modèle de conception. Le contenu s'affiche, comme sur la Figure 13.1. Cliquez sur le modèle à mettre en œuvre pour la nouvelle présentation.

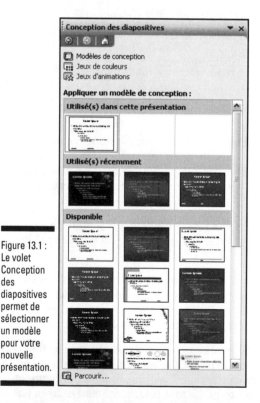

Figure 13.1 :
Le volet
Conception
des
diapositives
permet de
sélectionner
un modèle
pour votre
nouvelle
présentation.

Les modèles que vous avez récemment utilisés sont listés dans la section Utilisé(s) récemment. Pour utiliser l'un d'eux, contentez-vous de cliquer dessus.

Une autre méthode pour créer une nouvelle présentation basée sur un modèle consiste à cliquer sur le lien Sur mon ordinateur du volet Nouvelle présentation. Vous accédez à la boîte de dialogue de la Figure 13.2. Choisissez-y le modèle à utiliser. Notez la présence d'onglets en haut de cette boîte de dialogue. Ils permettent d'accéder à diverses catégories de modèles. Une fois le modèle sélectionné, cliquez sur OK.

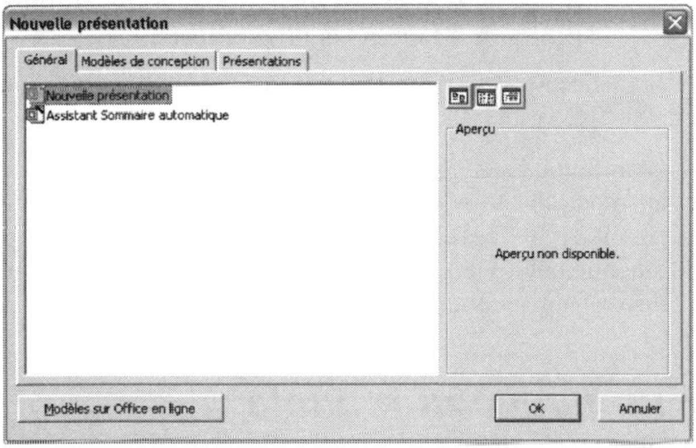

Figure 13.2 :
La boîte de
dialogue
Nouvelle
présentation.

Le volet Nouvelle présentation dispose d'un lien qui permet de télécharger des modèles sur le site Web de Microsoft.

Changer de modèles

Ce n'est pas parce que vous vous êtes trompé de modèle que votre présentation est bonne à recommencer. Mais non ! Vous ne connaissez pas PowerPoint, ce programme qui est loin d'avoir les deux pieds dans le même sabot. Il permet d'assigner un nouveau modèle de présentation à n'importe quel moment. Voici comment procéder :

1. **Choisissez Format/Conception des diapositives, ou cliquez sur le bouton Conception de la barre d'outils Mise en forme.**

   Le volet Conception des diapositives apparaît, comme sur la Figure 13.1.

2. **Recherchez un modèle qui vous plaise.**

   Faites défiler le contenu de la section Disponible.

3. **Placez le pointeur de la souris sur la miniature d'un modèle, et cliquez sur la flèche qui apparaît sur sa droite. Dans le menu local qui s'ouvre, cliquez sur Appliquer à toutes les diapositives.**

   Les Masques des diapositives et de titre du modèle ainsi sélectionné s'appliquent à votre présentation.

Quand vous appliquez un nouveau modèle, PowerPoint copie les masques et le jeu de couleurs dans votre présentation. De ce fait, toutes les modifications que vous avez pu apporter aux masques et au jeu de couleurs sont perdues. C'est moche. Vous devez tout recommencer.

Créer un nouveau modèle

Pour créer un nouveau modèle, il suffit de définir une présentation avec ses masques et ses jeux de couleurs. Ensuite, vous enregistrez cette présentation en tant que modèle. Voici quelques points à mémoriser sur les modèles :

✔ Les modèles de conception livrés avec PowerPoint n'ont pas de diapositives. Pour créer un modèle sans diapositives, cliquez sur le bouton Nouveau de la barre d'outils Standard. Choisissez ensuite Affichage/Masque/Masque des diapositives pour passer en mode d'affichage du masque, puis commencez à créer votre modèle.

✔ Pour procéder à des modifications mineures sur un des modèles fournis par PowerPoint, ouvrez-le via Fichier/Ouvrir. Enregistrez-le immédiatement en choisissant Fichier/Enregistrer sous. Effectuez les modifications adéquates sur les masques et le jeu de couleurs.

> N'oubliez pas d'enregistrer de nouveau le fichier quand vous avez terminé.

✔ Lorsque vous êtes prêt à enregistrer votre modèle, utilisez la commande Enregistrer sous. Dans la boîte de dialogue qui apparaît, cliquez sur la liste Type de fichier, et sélectionnez Modèle de conception (*.pot). Donnez un nom au modèle et cliquez sur Enregistrer.

Créer un nouveau modèle par défaut

Pour créer votre propre modèle par défaut, il suffit d'enregistrer le fichier de votre présentation en lui assignant le nom Blank.pot. A partir de cet instant, dès que vous créerez une présentation vide, les masques et le jeu de couleurs seront copiés depuis votre nouveau modèle par défaut plutôt que depuis celui de PowerPoint.

Pour retrouver un modèle noir et blanc classique, supprimez le fichier Blank.pot. Si PowerPoint ne parvient pas à trouver ce fichier, il utilise la mise en page noir et blanc par défaut.

Ces étapes montrent comment créer un nouveau modèle par défaut :

1. **Créez une nouvelle présentation en cliquant sur le bouton Nouveau puis en choisissant Vide dans la section Disposition du contenu du volet Mise en page des diapositives.**

2. **Choisissez Affichage/Masque/Masques des diapositives pour basculer dans ce mode d'affichage.**

3. **Effectuez tous les changements nécessaires.**

   Par exemple, modifiez la couleur d'arrière-plan, la police du texte et les couleurs.

4. **Cliquez sur le bouton Enregistrer.**

5. **Dans la boîte de dialogue Enregistrer sous, cliquez sur la liste Type de fichier et choisissez Modèle de conception (*.pot).**

6. Saisissez Blank **dans le champ Nom de fichier.**

7. **Cliquez sur Enregistrer.**

Troisième partie
Quand PowerPoint va plus loin

"Chouette graphe, Henri,
mais pas vraiment nécessaire."

Dans cette partie...

Vous n'avez pas fini d'entendre des rumeurs et des réflexions désagréables si votre présentation se cantonne à diffuser du texte diapositive après diapositive. Heureusement, PowerPoint permet d'insérer des éléments dynamiques qui donnent du piment à vos présentations – des dessins, des graphiques, des organigrammes, des équations, des animations, et j'en passe.

Tout n'est pas simple à mettre en œuvre. C'est pour cela que je consacre une partie entière à ces enrichissements.

Chapitre 14
Dessiner
sur vos diapositives

- -

Dans ce chapitre :

▶ Utiliser les outils de dessin de PowerPoint.

▶ Dessiner des lignes, des rectangles et des cercles.

▶ Utiliser des formes automatiques prédéfinies.

▶ Dessiner des formats fantaisie comme des polygones et des lignes incurvées.

▶ Modifier les couleurs et les types de trait.

▶ Créer des objets 3D.

- -

*J*e dessine ce que j'aime, j'aime ce que je dessine.

L'heure de l'art a sonné ! Tout le monde à ses crayons, ses gommes et ses tubes ! Vous allez créer des formes, les découper et les coller dans vos diapositives PowerPoint, faisant entrer ces dernières dans une ère insoupçonnée.

Ce chapitre traite des fonctions de dessin de PowerPoint. Les outils disponibles en ce sens vont vous ravir.

Conseils généraux sur les dessins

Avant d'étudier le fonctionnement des outils de dessin de PowerPoint, voici quelques conseils généraux pour dessiner des images.

Zoom avant

Lorsque vous travaillez avec les outils de dessin de PowerPoint, vous devez augmenter le facteur de zoom pour dessiner avec plus de précision. Personnellement, je n'hésite pas à pousser le zoom à 200, 300 ou même 400 %. Pour cela, il suffit de cliquer sur la liste affichant un pourcentage d'agrandissement, et de sélectionner celui qui convient à votre travail. Vous pouvez directement cliquer sur le pourcentage affiché. Il est sélectionné, et vous n'avez plus qu'à saisir le facteur de zoom adapté à vos besoins propres. Validez ce facteur en appuyant sur Entrée. Il arrive, en effet, que les zooms prédéfinis de PowerPoint ne s'adaptent pas à votre résolution d'affichage.

Avant de changer le facteur de zoom pour modifier un objet, sélectionnez l'objet. PowerPoint n'effectuera le zoom que sur l'objet sélectionné. Pas besoin de faire défiler le contenu de la diapositive pour repérer l'objet sélectionné.

Quand vous dessinez, fermez le volet Office. Vous disposerez de bien plus de place. Pour le restaurer, cliquez sur Affichage/Volet Office.

Afficher la règle

Pour aligner précisément des objets, activez la règle. Choisissez Affichage/Règle. La Figure 14.1 montre l'aspect de PowerPoint quand la règle est active.

Lorsque vous travaillez avec des objets dessinés, PowerPoint définit sur 0 le centre de la diapositive. Quand vous modifiez un objet textuel, la règle change d'aspect afin d'afficher l'unité de mesure utilisée pour les marges, et indique la position des tabulations.

Attacher le jeu de couleurs

Vous pouvez assigner des couleurs individuelles à chaque objet que vous dessinez, mais l'intérêt des jeux de couleurs de PowerPoint est de vous éviter cela. Si possible, laissez

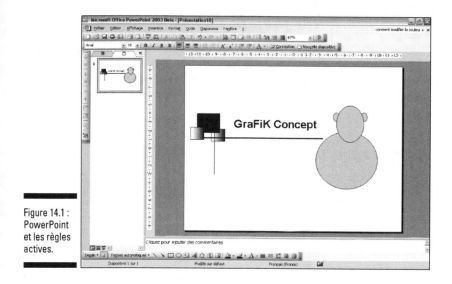

Figure 14.1 :
PowerPoint
et les règles
actives.

la couleur de remplissage par défaut colorier vos objets.
Lorsque, plus tard, vous modifierez le jeu de couleurs, la
couleur de remplissage de l'objet reflétera vos modifications.
Mais, après avoir modifié la couleur de remplissage, l'objet
ignore les changements apportés au jeu de couleurs de la
diapositive.

Si vous devez assigner une couleur séparée à un objet, choisissez une des huit couleurs du jeu de couleurs.

Enregistrer fréquemment

Dessiner est un travail fastidieux. Il n'y a donc rien de pire que
de perdre des heures passées à dessiner des objets complexes.
Pour cette raison, je vous recommande de mémoriser immédiatement le raccourci clavier Ctrl+S. Il enregistre votre travail
sans ouvrir la boîte de dialogue Enregistrer (sauf s'il s'agit
d'une première sauvegarde). Appuyez sur Ctrl+S dès que vous
effectuez une tâche importante. Je veux même que vous
abusiez de cette commande, et ce quel que soit le programme
dans lequel vous travaillez.

N'oubliez jamais Ctrl+Z

Ctrl+Z est aussi important que Ctrl+S. Il doit devenir un réflexe conditionné chaque fois que vous commettez une erreur. En effet, Ctrl+Z annule les effets de votre dernière action. Les adeptes de la souris opteront pour Edition/Annuler <nom de l'action>.

Le barre d'outils Dessin

PowerPoint fournit une large gamme d'outils de dessin. Vous les trouverez dans la barre d'outils Dessin.

Le Tableau 14.1 liste tous les outils de cette barre et en explique le fonctionnement.

Tableau 14.1 : Les boutons de la barre d'outils Dessins.

Outils de dessin	Nom	Fonction
Dessin ▾	Menu Dessin	Affiche les commandes relatives au dessin.
▷	Sélectionner les objets	Pas vraiment un outil de dessin, mais plutôt le pointeur générique de la souris utilisé pour sélectionner des objets.
Formes automatiques ▾	Formes automatiques	Ouvre un menu qui contient des formes prédessinées ou des outils facilitant la création d'objets comme des lignes, des flèches, des croix, des symboles, des étoiles, et bien d'autres choses encore.
╲	Trait	Dessine des traits (lignes).
↘	Flèche	Dessine une flèche.

Outils de dessin	Nom	Fonction
	Rectangle	Dessine un rectangle. Pour créer un carré parfait, maintenez la touche Maj enfoncée tout en traçant le carré.
	Ellipse	Dessine des cercles et des ovales. Pour tracer un cercle parfait, maintenez la touche Maj enfoncée.
	Zone de texte	Ajoute une zone de texte.
	Insérer un objet WordArt	Ouvre la boîte de dialogue Galerie WordArt. Vous y sélectionnez du texte fantaisie.
	Insérer un diagramme ou un organigramme hiérarchique	Insère un diagramme ou un organigramme.
	Insérer une image clipart	Ouvre le volet Insérer une image clipart.
	Insérer une image	Insère une image.
	Couleur de remplissage	Définit la couleur utilisée pour remplir des objets comme les cercles et les ellipses, mais aussi les formes automatiques.
	Couleur du trait	Définit la couleur utilisée pour dessiner des lignes, incluant les traits qui entourent les rectangles, les ellipses et les formes automatiques.
	Couleur de police	Définit la couleur utilisée pour du texte.
	Style de trait	Définit le style utilisé pour les traits.
	Style de ligne	Crée des lignes en pointillé.

Outils de dessin	Nom	Fonction
	Style de flèche	Crée les pointes des flèches.
	Style Ombre	Crée des ombres.
	Style 3D	Crée des effets 3D.

Dessiner des objets textuels simples

Pour dessiner un objet sur une diapositive, sélectionnez l'outil adéquat, puis utilisez la souris pour le tracer. Mais ce n'est pas toujours aussi simple. Vous trouverez des instructions complémentaires dans les prochaines sections. Voici tout d'abord quelques petites choses à conserver en mémoire :

✔ **Choisir un emplacement :** Avant de dessiner un objet, affichez la diapositive sur laquelle doit prendre place le dessin. Pour que le dessin apparaisse sur chaque diapositive de la présentation, effectuez-le sur le Masque des diapositives. Vous l'affichez via Affichage/Masque/ Masque des diapositives ou en cliquant sur le bouton Mode Normal tout en appuyant sur Maj.

✔ **Ajouter du texte aux objets :** PowerPoint possède deux types d'objets : les *formes*, comme les cercles, les rectangles et les croix, et les *lignes* et les *arcs*. Vous pouvez ajouter du texte à n'importe quelle forme, mais vous ne pouvez pas ajouter du texte aux traits et aux arcs.

✔ **Réparer les erreurs :** Vous avez commis une erreur ? Supprimez l'objet en appuyant sur la touche Suppr de votre clavier ; recommencez le dessin. Il est possible de modifier la taille d'un objet en le sélectionnant puis en agissant sur les poignées de redimensionnement.

✔ Le Tableau 14.2 liste les raccourcis clavier qui peuvent être utilisés pendant que vous dessinez. Attardons-nous sur le dernier qui parle de double-cliquer sur un bouton de dessin. Cela permet de dessiner plusieurs fois avec le même outil.

Tableau 14.2 : Les raccourcis de dessin.

Raccourci	Fonction
Maj	Lorsque vous la maintenez enfoncée, cette touche permet d'obtenir une forme parfaite comme un carré ou un cercle. Vous pouvez commencer à dessiner un rectangle. Si vous appuyez sur la touche Maj sans relâcher le bouton de la souris, le rectangle devient un carré.
Ctrl	Maintenez la touche Ctrl enfoncée pour dessiner l'objet depuis son centre.
Ctrl+Maj	Dessine un objet depuis son centre et le contraint à une forme carrée ou circulaire.
Double-cliquer	Active un outil pour plusieurs utilisations consécutives.

Dessiner des lignes droites

Vous pouvez utiliser le bouton Trait pour dessiner des lignes droites sur vos diapositives. Voici la procédure :

1. **Cliquez sur le bouton Trait.**

2. **Pointez où vous désirez commencer la ligne.**

3. **Cliquez et faites glisser le pointeur de la souris pour définir la longueur de la ligne.**

4. **Relâchez le bouton de la souris quand vous avez atteint votre destination.**

Vous pouvez utiliser Format/Formes automatiques pour accéder à la boîte de dialogue Format de la forme automatique. Dans l'onglet Couleurs et traits, vous pouvez modifier tous les paramètres du trait que vous venez de tracer. Vous pouvez également cliquer sur le bouton Style de trait pour définir une nouvelle épaisseur du trait sélectionné.

Vous pouvez ajuster la longueur d'un trait en agissant sur les poignées de redimensionnement qui apparaissent à chacune de ses extrémités.

N'oubliez pas que pour obtenir une ligne parfaitement horizontale ou verticale, il suffit de maintenir la touche Maj enfoncée pendant que vous dessinez.

Dessiner des rectangles, des carrés, des ovales et des cercles

Pour dessiner un rectangle :

1. **Cliquez sur le bouton Rectangle.**

2. **Pointez où vous désirez placer le coin supérieur gauche du rectangle.**

3. **Cliquez sur le bouton de la souris et faites glisser le pointeur dans le coin opposé (c'est-à-dire le coin inférieur droit).**

4. **Relâchez le bouton de la souris.**

Les étapes ci-dessus sont les mêmes pour tracer un ovale. Ici, vous devez préalablement sélectionner l'outil Ellipse. Pour tracer un cercle parfait, maintenez la touche Ctrl enfoncée.

Vous pouvez cliquer sur la flèche du bouton Couleur de remplissage ou de trait pour leur appliquer une nouvelle couleur.

Pour appliquer une ombre, utilisez le bouton Ombre. Reportez-vous à la section "Appliquer une ombre", plus loin dans ce chapitre, pour plus d'informations.

Vous pouvez modifier la taille des formes en agissant sur leurs poignées de redimensionnement.

Utiliser des formes automatiques

Les rectangles et les cercles ne sont pas les seules formes que vous pouvez dessiner automatiquement. Quand vous cliquez sur le bouton Formes automatiques de la barre d'outils Dessin, vous accédez à un menu très riche. Il contient des formes qui permettent de placer facilement des objets complexes sur une diapositive comme des pentagones, des étoiles et des symboles d'organigrammes.

Le menu Formes automatiques présente les formes en catégories :

- **Lignes** : Lignes droites, lignes incurvées, lignes à deux flèches, lignes tordues, lignes libres qui peuvent devenir des polygones. Les formes libres sont tellement utiles qu'elles méritent une section à elles toutes seules.

- **Connecteurs** : Lignes avec différentes formes et têtes de flèches qui sont connectées par des points.

- **Formes de base** : Des carrés, des rectangles, des triangles, des croix, des visages heureux, des éclairs, et j'en passe.

- **Flèches pleines** : Grosses flèches pointant dans de multiples directions.

- **Organigrammes** : Divers symboles destinés aux organigrammes.

- **Etoiles et bannières** : Pour ajouter des étincelles à vos diapositives.

- **Bulles et légendes** : Zones de texte et bulles de bande dessinée comme vous en rencontrez dans vos albums préférés.

- **Boutons d'action** : Boutons que vous pouvez ajouter à vos diapositives et sur lesquels vous cliquez pour passer directement à une autre diapositive ou pour exécuter une macro.

> ✔ **Autres formes automatiques :** 64 de plus. Certaines sont idéales pour une présentation destinée au Web, et il y en a même qui sont aussi jolies que des sapins de Noël.

Voici comment dessiner une forme automatique :

1. **Cliquez sur le bouton Formes automatiques de la barre d'outils Dessin.**

   Le menu Formes automatiques apparaît.

2. **Choisissez la catégorie de Formes automatiques.**

   La Figure 14.2 montre un exemple de catégorie. Regardez attentivement cette illustration pour apprécier toutes les formes qui sont à votre disposition.

Figure 14.2 :
Exemples de
formes.

3. **Cliquez sur la forme que vous désirez dessiner.**

4. **Cliquez sur la diapositive où vous désirez placer la forme, puis faites glisser le pointeur pour donner à la forme la taille souhaitée.**

   Quand vous relâchez le bouton de la souris, l'objet apparaît rempli par la couleur en cours et le style de trait défini.

5. **Si nécessaire, saisissez le texte que doit contenir la forme.**

Pour créer une forme parfaite, maintenez la touche Maj enfoncée tout en traçant la forme automatique.

Certaines formes automatiques – plus spécialement les étoiles et bannières – font ressortir le texte. La Figure 14.3 montre comment une simple étoile attire l'attention.

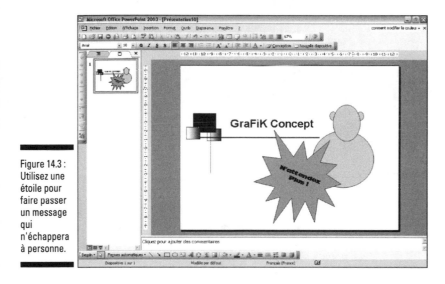

Figure 14.3 :
Utilisez une
étoile pour
faire passer
un message
qui
n'échappera
à personne.

Vous pouvez modifier la forme automatique d'un objet à n'importe quel moment en sélectionnant l'objet puis Dessin/ Modifier la forme.

De nombreuses formes automatiques disposent d'une poignée supplémentaire pour ajuster des aspects de l'objet. Par exemple, les flèches ont une poignée pour augmenter ou diminuer la taille de leurs pointes. La Figure 14.4 montre comment utiliser des poignées supplémentaires pour faire varier les formes produites par six formes automatiques différentes. Pour chacune de ces six formes, le premier objet montre la forme automatique d'origine ; les deux autres sont des variantes obtenues grâce à cette poignée magique.

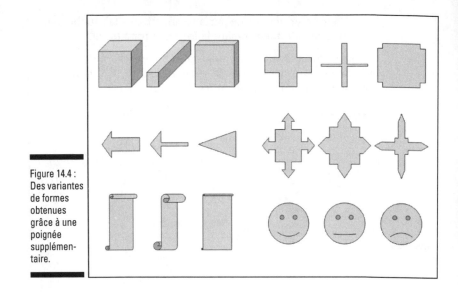

Dessiner un polygone ou une forme libre

Les *polygones* sont des formes qui ont plusieurs côtés. Ainsi, des triangles, des carrés et des rectangles sont des polygones.

Une des formes les plus utiles est la *forme libre*. Vous pouvez ainsi créer des polygones dont toutes les lignes ne sont pas droites. La Figure 14.5 montre trois exemples de formes créées avec l'outil Forme libre des Formes automatiques.

Suivez ces étapes pour créer un polygone ou une forme libre à main levée :

1. **Cliquez sur le bouton Formes automatiques et choisissez Lignes.**

2. **Cliquez sur le bouton Forme libre.**

3. **Cliquez où vous désirez positionner le premier coin de l'objet.**

4. **Cliquez où vous désirez positionner le deuxième point de l'objet.**

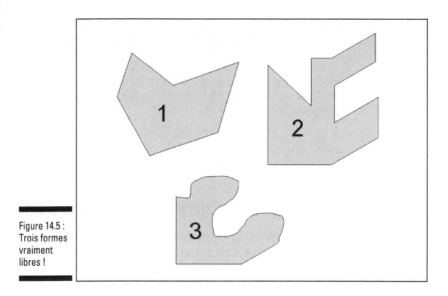

Figure 14.5 :
Trois formes
vraiment
libres !

5. **Continuez à cliquer de point en point pour définir votre objet.**

6. **Pour dessiner le côté d'une forme avec la technique des formes libres, appuyez sur le bouton de la souris quand vous cliquez sur un des coins. Ensuite, dessinez librement. Une fois la forme obtenue, relâchez le bouton de la souris.**

7. **Pour terminer la forme, cliquez à proximité du premier point, c'est-à-dire le coin défini à l'étape 3.**

   Inutile d'être précis : si vous cliquez à proximité du point, PowerPoint présume que vous souhaitez fermer la forme.

Vous avez terminé ! La couleur de remplissage et de trait de l'objet est celle du jeu de couleurs.

Pour dessiner à main levée avec l'outil Forme libre, maintenez continuellement le bouton de la souris enfoncé. Tracez une partie de la forme. Dès que vous arrivez au point où doit commencer un segment de droite, relâchez le bouton de la souris. Cette fois, il suffit de déplacer la souris pour obtenir une droite. Appuyez de nouveau, et sans discontinuer, sur le bouton de la souris pour dessiner librement. La troisième forme de la Figure 14.5 est faite à partir d'une forme libre et d'un dessin à main levée exécuté avec l'outil Forme libre.

Vous pouvez modifier la forme d'un polygone ou d'une forme libre en double-cliquant dessus et en agissant sur les poignées qui apparaissent à chaque coin.

Si vous maintenez la touche Maj enfoncée en dessinant le polygone, vous contraignez les droites à un angle de 45 degrés. La deuxième forme de la Figure 14.5 a été conçue ainsi.

Dessiner une ligne ou une forme incurvée

L'outil Courbe permet de dessiner des lignes ou des formes incurvées. La Figure 14.6 montre plusieurs exemples de lignes et de formes incurvées tracées avec l'outil Courbe.

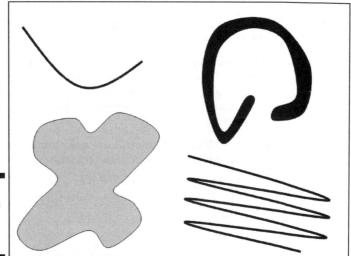

Figure 14.6 :
Exemples de
lignes et de
formes
incurvées.

1. **Cliquez sur le bouton Formes automatiques et choisissez Lignes.**

2. **Cliquez sur le bouton Courbe.**

3. **Cliquez à l'endroit où doit commencer la ligne ou la forme.**

4. **Cliquez où vous désirez que la première déviation de la courbe apparaisse.**

   La ligne droite tourne au fur et à mesure que vous déplacez la souris, donnant l'impression que vous la courbez.

5. **Cliquez pour ajouter une nouvelle courbure à la ligne.**

   Chaque fois que vous cliquez, une nouvelle courbure est ajoutée à la ligne. Continuez à cliquer jusqu'à ce que la ligne soit courbée comme vous le désirez.

6. **Pour terminer la ligne, double-cliquez. Pour créer une forme fermée, double-cliquez sur le point de départ défini à l'étape 3.**

Dessiner une zone de texte

Une *zone de texte* est un type spécial de forme destiné à y placer du texte. Cliquez sur le bouton Zone de texte, puis à l'endroit de la diapositive où vous désirez placer le coin supérieur gauche de la zone. Faites glisser la souris comme si vous traciez un rectangle. Quand vous relâchez le bouton de la souris, saisissez votre texte.

Vous pouvez formater la zone de texte en utilisant les boutons Couleur de remplissage, Couleur du trait et Style de trait décrits dans la prochaine section. Par défaut, les zones de texte n'ont pas de couleur de remplissage ou de trait. Seul le texte qu'elles contiennent est visible.

La plupart des formes automatiques fonctionnent comme des zones de texte. Pour y ajouter des mots, cliquez sur la forme et commencez à écrire. Le texte apparaît en son centre. Les lignes et les connecteurs n'acceptent pas la saisie de texte.

Définir la couleur de remplissage, de trait et de police

Les trois contrôles de couleurs de la barre d'outils Dessin permettent de définir la couleur de remplissage, de trait et du texte. Leur comportement est un peu étrange, méritant quelques explications.

Chaque bouton est fait de deux parties : un bouton et une flèche. Cliquer sur le bouton assigne la couleur en cours au remplissage, au trait ou au texte sélectionné. Cliquer sur la flèche permet de sélectionner la couleur à appliquer.

Vous accédez à un menu local. Par exemple, la Figure 14.7 montre le menu du bouton Couleur de remplissage. Comme vous pouvez le constater, ce menu inclut une palette de couleurs. Si vous avez besoin d'une couleur qui n'est pas affichée ici, cliquez sur Autres couleurs. Vous accédez à une boîte de dialogue proposant davantage de teintes sur laquelle vous lirez d'importantes explications au Chapitre 11.

Figure 14.7 :
Le menu local du bouton Couleur de remplissage.

Si vous fixez Couleur de remplissage, Couleur du trait et Couleur de police sur Automatique, les couleurs changent dès que vous modifiez le jeu de couleurs de la présentation.

Vous pouvez appliquer un motif ou une texture comme remplissage. Il suffit de cliquer sur Motifs et textures du menu local Couleur de remplissage. La boîte de dialogue qui apparaît est présentée au Chapitre 11.

Définir le style de trait

Trois boutons de la barre d'outils Dessin permettent de modifier le style de trait des objets :

- ✔ **Style de trait :** Epaisseur des lignes qui entourent un objet.

- ✔ **Style de ligne :** "Motif" de ligne employé pour les traits qui entourent l'objet. PowerPoint utilise la ligne solide par défaut, mais différents motifs sont disponibles pour créer les motifs des lignes.

- ✔ **Style de flèche :** Les lignes peuvent se terminer et/ou commencer par des flèches.

Pour en modifier les attributs, sélectionnez le ou les objets, puis cliquez sur le bouton approprié. Des options de style apparaissent.

Le menu local Style de trait possède une option Autres traits qui donne accès à la boîte de dialogue de la Figure 14.8. Vous pouvez y contrôler tous les aspects d'un style de ligne : sa couleur, son épaisseur, son motif et ses flèches. Le menu local Style de flèche inclut une commande identique qui ouvre la même boîte de dialogue.

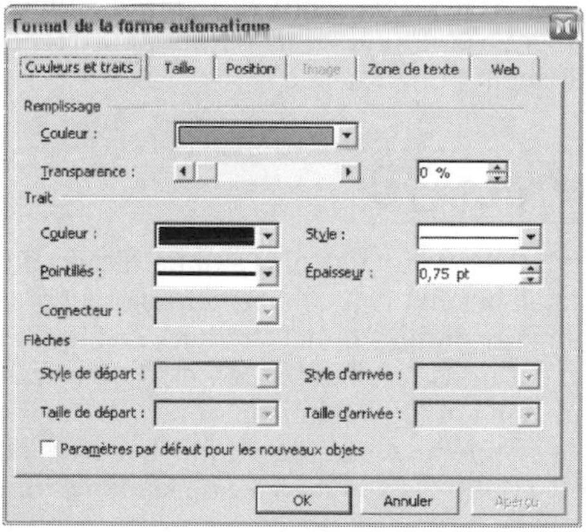

Figure 14.8 :
Paramètres
des styles de
trait.

Appliquer une ombre

Pour appliquer une ombre à un objet, sélectionnez l'objet et cliquez sur le bouton Style Ombre. Vous accédez au menu local de la Figure 14.9. Cliquez sur le style d'ombre à appliquer à l'objet sélectionné.

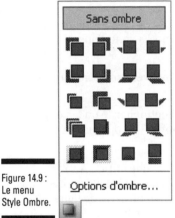

Figure 14.9 :
Le menu
Style Ombre.

Si vous cliquez sur Options d'ombre, vous affichez une barre d'outils dont les boutons permettent de placer l'ombre comme vous le désirez et d'en modifier la couleur pour créer un effet d'ombre totalement personnalisé.

Ajouter des effets 3D

Le bouton Style 3D est l'un des plus sympathiques de la barre d'outils Dessin. Il permet de transformer un objet plat et sans relief en un objet tridimensionnel excitant. La Figure 14.10 montre comment utiliser le bouton Style 3D pour transformer plusieurs formes en objets tridimensionnels. Dans chaque cas, l'objet est une simple forme automatique. Les trois objets situés derrière sont trois versions 3D de la même forme.

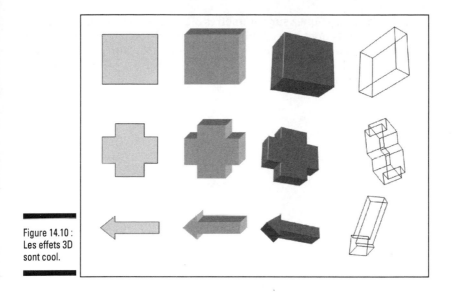

Figure 14.10 :
Les effets 3D
sont cool.

Pour appliquer un effet 3D, sélectionnez la forme et cliquez sur le bouton 3D. Dans le menu qui apparaît (voir Figure 14.11), cliquez sur l'effet que vous désirez appliquer. Pour enlever un effet 3D, cliquez sur 2D.

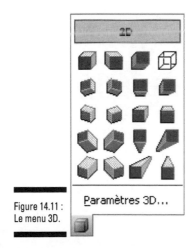

Figure 14.11 :
Le menu 3D.

Si vous cliquez sur Paramètres 3D, vous accédez à une barre d'outils dont les contrôles permettent de définir les paramètres tridimensionnels de l'objet. Vous pouvez le faire pivoter dans tous les sens, modifier la source d'éclairage, la profondeur, l'orientation et la couleur.

Chapitre 15
Insérer un diagramme

* *

Dans ce chapitre :
- Ajouter des diagrammes.
- Créer des diagrammes ou des organigrammes.
- Embellir les graphiques et les diagrammes.

* *

*P*owerPoint 2003 dispose d'une galerie de diagrammes qui permet d'ajouter plusieurs types de graphiques dans vos diapositives. Il est possible d'insérer des organigrammes, des diagrammes à cycle continu, pyramidal, etc.

Créer un diagramme

PowerPoint permet d'ajouter facilement des diagrammes à vos présentations. Leur aspect se contrôle avec une simplicité déconcertante.

Comprendre la notion de "diagramme"

Un *diagramme*, que l'on nomme aussi *représentation graphique*, présente une série de chiffres sous forme graphique. Vous pouvez indiquer ces chiffres ou les copier depuis une feuille de calcul Excel. Les diagrammes vont des plus simples aux plus complexes.

Voici le jargon à assimiler dès que vous travaillez avec des représentations graphiques :

- **Graphique ou représentation graphique :** C'est la même chose. Mais quand on parle de *graphiques*, on envisage souvent des images bitmap ou vectorielles. Une *représentation graphique* nous permet de bien distinguer les diagrammes numériques des images bitmap.

- **Microsoft Graph :** Il s'agit d'une représentation graphique insérée dans une diapositive. Ces représentations graphiques sont généralement créées dans un autre programme appelé Microsoft Graph. Cependant, cette application est si bien intégrée dans PowerPoint que vous ne vous apercevrez même pas qu'il s'agit d'un utilitaire séparé.

- **Type de graphique :** Microsoft Graph supporte plusieurs types de graphiques : les histogrammes, les graphiques à barres, à courbes, à secteurs, en nuages de points, etc. Graph est capable de créer des cônes, et toute représentation graphique adaptée pour exposer tel ou tel type de données.

- **Graphique 3D :** Certaines représentations graphiques ont un effet 3D. Cela n'apporte rien de plus qu'une apparence davantage élaborée.

- **Feuille de calcul :** Fournit les données d'un graphique. Les représentations graphiques ne sont rien d'autre que des chiffres formant une image. Les chiffres sont issus d'une feuille de données qui fonctionne comme une feuille de calcul. Si vous savez vous servir d'Excel ou de Lotus 1-2-3, l'utilisation de feuilles de données ne prendra que quelques secondes. La feuille de données fait partie de l'objet Graph. Cependant, elle n'apparaît pas sur la diapositive. Au lieu de cela, la feuille de calcul n'apparaît que lorsque vous modifiez l'objet Graph.

- **Séries :** Ensemble ou collection de chiffres ayant une relation commune. Par exemple, un graphique des ventes trimestrielles par région peut avoir une série pour chaque région. Chaque série a un total de quatre ventes, c'est-à-dire une par trimestre. Chaque série est généralement représentée par une ligne dans la feuille de données. Il est possible de modifier la feuille de données pour représenter les séries dans des colonnes. La plupart des types de graphiques peuvent réunir plusieurs séries. En revanche, les graphiques à secteurs ne peuvent gérer qu'une seule série à la fois.

✔ **Axes :** Ce sont les lignes situées sur les bords d'un graphique. L'*axe-X* est la ligne qui se situe en bas de la représentation graphique ; l'*axe-Y* se trouve sur le bord gauche. Généralement, l'axe X présente des catégories. Les valeurs sont exposées sur l'axe Y. Microsoft Graph fournit automatiquement des étiquettes pour les axes X et Y, mais vous pouvez les modifier.

✔ **Légende :** Une zone qui affiche des éléments visuels pour identifier les données du graphique.

Créer une représentation graphique

Pour ajouter une représentation graphique à votre présentation :

✔ Créez une nouvelle diapositive en utilisant une mise en forme automatique qui inclut un objet graphique.

✔ Ajoutez un objet graphique à une diapositive existante.

La Mise en forme automatique est la méthode la plus facile pour créer une nouvelle diapositive dont les éléments sont bien positionnés. Si vous ajoutez un graphique à une diapositive existante, vous devez ajuster la taille et la position des objets existants pour faire de la place à l'objet graphique.

Insérer une nouvelle diapositive

Ces étapes montrent comment insérer une nouvelle diapositive qui contient un graphique :

1. **Affichez la diapositive à la suite de laquelle doit apparaître la nouvelle diapositive.**

2. **Choisissez Insertion/Nouvelle diapositive pour créer une nouvelle diapositive et faire apparaître le volet Mise en page des diapositives.**

3. **Cliquez sur l'une des mises en page de diapositive incluant une représentation graphique.**

4. **Double-cliquez sur l'objet graphique pour invoquer Microsoft Graph.**

   PowerPoint réveille Microsoft Graph. Il crée un exemple de graphique dont les données sont représentées Figure 15.1. Notez que votre barre d'outils habituelle est partie pour faire de la place aux boutons de la barre d'outils de Graph.

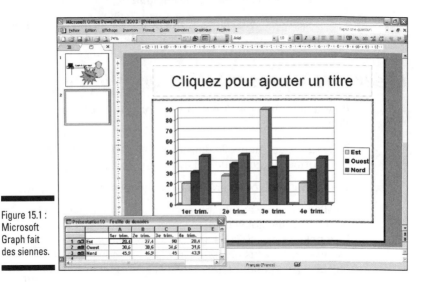

Figure 15.1 : Microsoft Graph fait des siennes.

5. **Modifiez les données pour obtenir quelque chose de plus réaliste.**

   La *feuille de données* (Figure 15.1) fournit les données du graphique. C'est une fenêtre séparée qui ne fait pas partie de la diapositive. Elle ressemble à une feuille de calcul. Pour plus d'informations à ce sujet, reportez-vous à la section "Travailler avec la feuille de données", plus loin dans ce chapitre.

6. **Retournez à la diapositive.**

Cliquez n'importe où sur la diapositive, mais en dehors du graphique ou de la feuille de données. Vous quittez ainsi Microsoft Graph et revenez à la diapositive. Vous pouvez même voir le graphique avec les nouveaux chiffres, comme le montre la Figure 15.2.

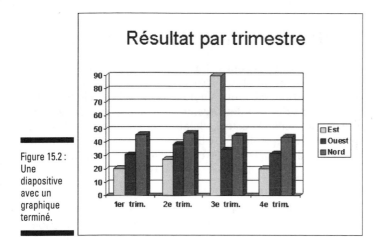

Figure 15.2 :
Une
diapositive
avec un
graphique
terminé.

Insérer une représentation graphique dans une diapositive existante

Cette méthode est la plus difficile des deux. Ne l'utilisez que si vous ne pouvez pas faire autrement. Suivez ces étapes pour ajouter un graphique à une diapositive existante :

1. **Affichez la diapositive sur laquelle vous désirez placer le graphique.**

2. **Choisissez Insertion/Graphique.**

   Ou cliquez sur le bouton Insérer un graphique.

3. **Saisissez vos données dans la feuille de données.**

   Remplacez les données d'exemple par les vôtres.

4. **Cliquez en dehors du graphique pour revenir en mode Diapositive.**

5. Réorganisez les éléments.

Si votre diapositive contient déjà un graphique, modifiez son contenu ou sa mise en forme en double-cliquant sur la représentation graphique. Pour terminer ces modifications, cliquez en dehors du graphique.

Travailler avec la feuille de données

La feuille de données contient les chiffres combinés dans votre représentation graphique Microsoft Graph. La feuille de données fonctionne comme un petit tableau. Les valeurs sont stockées dans des cellules organisées en lignes et en colonnes. Comme une feuille de calcul, chaque colonne est identifiée par une lettre et chaque ligne par un chiffre. Vous pouvez identifier chaque cellule de la feuille en combinant la lettre de la colonne et le numéro de la ligne, comme A1 ou B17.

Il est possible de modifier l'orientation en cliquant sur le bouton Par colonne de la barre d'outils ou en choisissant Données/Série en colonne. Le menu Données est une fonction de Microsoft Graph qui disparaît quand la feuille de données est terminée.

La première ligne et la première colonne de la feuille de données sont utilisées pour les en-têtes. Elles n'ont pas de chiffres ou de lettres.

Si vous désirez représenter sous forme de graphique une grande quantité de valeurs, vous devrez augmenter la taille de la fenêtre de la feuille de données. Malheureusement, la fenêtre de la feuille de données ne possède pas de bouton de réduction et d'agrandissement. Pour modifier sa taille, vous devez faire glisser l'un de ses coins.

Pour modifier la police utilisée par défaut ou le format numérique, choisissez respectivement Format/Police et Format/Nombre. Ces modifications affectent l'affichage des données dans la feuille, mais aussi dans la représentation graphique.

Bien que la feuille de données ressemble à une feuille de calcul, vous ne pouvez pas utiliser des formules ou des fonctions. Dans ce cas, il faut recourir à un programme de type Excel pour créer une feuille de calcul que vous importerez ensuite dans la présentation PowerPoint. Cette importation s'effectuera en choisissant Insertion/Objet ou par copie du graphique dans PowerPoint via le Presse-papiers.

Pour afficher ou masquer la feuille de données, cliquez sur le bouton Afficher la feuille de données.

Changer le type de graphique

Microsoft Graph permet de créer quatorze types de représentations graphiques. Chacun convient à un type d'informations particulier. Par exemple, des données sur la vente de produits sont toujours mieux en colonne pour bien comparer les résultats de différentes régions. Le type de graphique à choisir dépend de la nature des données à afficher.

Heureusement, PowerPoint ne vous oblige pas à utiliser une représentation graphique plus qu'une autre. Vous pouvez facilement changer de type de graphique sans altérer les données du graphique. Voici comment faire :

1. **Double-cliquez sur la représentation graphique pour activer Microsoft Graph.**

2. **Choisissez Graphique/Type de graphique.**

   Microsoft Graph affiche la boîte de dialogue Type de graphique. Vous y choisissez le type de graphique à utiliser. Ces types sont organisés en deux groupes : Types standard et Types personnalisés.

3. **Cliquez sur le type de graphique que vous voulez.**

4. **Pour utiliser une variante d'un type de graphique, cliquez sur une miniature de la zone Sous-type de graphique.**

   Par exemple, le type de graphique Histogramme a sept sous-types, du graphique plat au graphique 3D.

5. **Cliquez sur OK. C'est tout !**

Si vous optez pour un type de graphique 3D, ajustez l'angle d'affichage en choisissant Graphique/Vue 3D.

Embellir une représentation graphique

Microsoft Graph permet d'embellir un graphique de plusieurs manières : vous pouvez ajouter des titres, des étiquettes, des légendes, etc. Ces embellissements se font via Graphique/ Options du graphique. Plusieurs onglets permettent d'apporter des modifications significatives au graphique.

Cliquez sur l'onglet de l'embellissement à faire, puis sur OK. L'énumération suivante décrit chaque onglet de la boîte de dialogue Options du graphique.

✔ **Titres :** Vous pouvez ajouter deux types de titres à votre graphique : un *titre de graphique* et des *titres d'axes*. Ces deux derniers permettent d'expliquer le contenu des axes X et Y. La plupart des graphiques utilisent deux axes : l'*axe des valeurs* et l'*axe des catégories*. Certains graphiques 3D utilisent un troisième axe appelé *axe des séries*.

✔ **Axes :** Les *axes* se réfèrent aux axes X et Y sur lesquels sont combinées les données. L'axe X est l'axe horizontal du graphique, et l'axe Y l'axe vertical. Les graphiques 3D ont un troisième axe – Z. L'onglet Axes permet de masquer ou d'afficher chaque axe du graphique.

✔ **Quadrillage :** Il s'agit de lignes très fines dessinées derrière un graphique pour faciliter la lecture des données sur un graphique à nuages de points, à barres ou à lignes. Vous pouvez activer ou désactiver l'affichage du quadrillage.

✔ **Légende :** Une *légende* explique le jeu de couleurs utilisé par le graphique. Pour qu'une légende apparaisse dans votre représentation graphique, cliquez sur cet onglet de la boîte de dialogue Options du graphique. Indiquez l'endroit où doivent apparaître les légendes, puis cliquez sur OK.

Microsoft Graph permet de créer une légende, mais vous n'êtes pas obligé de le faire.

✔ **Étiquettes de données :** Il s'agit d'un texte attaché à chaque point d'un graphique. Vous pouvez demander à Microsoft Graph d'utiliser les valeurs des données en cours comme étiquettes. Il est également possible d'utiliser l'en-tête des catégories comme étiquettes. Tous ces paramètres sont contrôlés par l'onglet Étiquettes de données. Pour la majorité des types de diapositives, les étiquettes ne sont utiles que si elles donnent des informations supplémentaires.

✔ **Table de données :** Une *table de données* est un tableau qui montre les données utilisées pour créer un graphique. L'onglet Table de données contient les contrôles qui permettent d'ajouter une table de données à votre représentation graphique.

Créer et insérer un diagramme

PowerPoint propose une bibliothèque de diagrammes qui facilite l'insertion de ces éléments dans vos présentations. Vous pouvez créer des organigrammes hiérarchiques, des diagrammes cycliques, des diagrammes radiaux, pyramidaux, Venn et cibles.

Mis à part l'organigramme hiérarchique, les cinq autres sont des variantes du même thème : ils montrent la relation qui existe entre les différents éléments d'un diagramme. En réalité, après avoir créé un diagramme, vous pouvez modifier son type sans aucun problème. Ainsi, si vous partez d'un diagramme radial, vous pouvez le changer en pyramidal.

Le meilleur moyen de créer un diagramme est d'insérer une nouvelle diapositive utilisant une mise en page dont un des espaces réservés doit contenir un diagramme. Voici comment procéder :

1. **Choisissez Insertion/Nouvelle diapositive ou appuyez sur Ctrl+M.**

   Une nouvelle diapositive est insérée et le volet Mise en page des diapositives apparaît.

2. **Choisissez Titre et graphique ou organigramme hiérarchique.**

Vous devez faire défiler le contenu de la section Appliquer la mise en page des diapositives du volet Mise en page des diapositives pour localiser la miniature.

3. **Double-cliquez sur l'espace réservé du diagramme ou de l'organigramme.**

Vous ouvrez la boîte de dialogue de la Figure 15.3.

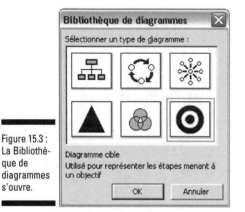

Figure 15.3 :
La Bibliothèque de diagrammes s'ouvre.

4. **Choisissez le type de diagramme que vous voulez créer.**

La Bibliothèque de diagrammes propose six types de diagrammes. Ils sont décrits dans le Tableau 15.1.

5. **Cliquez sur OK.**

Le diagramme est créé. La Figure 15.4 montre l'organigramme qui apparaît quand vous le créez pour la première fois. Les autres types de diagrammes ont une apparence similaire.

6. **Modifiez le diagramme.**

7. **C'est fini !**

En réalité, vous n'avez jamais terminé. Vous pouvez manipuler votre diagramme jusqu'à la fin des temps pour obtenir la perfection, mais il faut être raisonnable et savoir s'arrêter.

Tableau 15.1 : Types de diagrammes.

Icône	Type de diagramme	Description
	Organigramme hiérarchique	Pour établir une relation hiérarchique entre divers éléments.
	Cyclique	Pour afficher un traitement qui répète un cycle continu.
	Radial	Pour montrer la relation entre des éléments périphériques et un élément central.
	Pyramidal	Pour représenter des relations en fonction d'une base.
	Venn	Pour indiquer des zones de chevauchement entre et parmi des éléments.
	Cible	Pour montrer les étapes permettant d'atteindre un objectif.

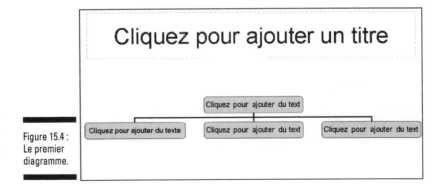

Figure 15.4 : Le premier diagramme.

Pour ajouter un diagramme à une diapositive existante sans utiliser la mise en page Titre et graphique ou organigramme hiérarchique, cliquez sur le bouton Insérer un diagramme ou un organigramme hiérarchique de la barre d'outils Dessin.

Vous accédez à la boîte de dialogue Bibliothèque de diagrammes. Sélectionnez le type de diagramme à ajouter et cliquez sur OK. Le diagramme est ajouté à la diapositive.

Travailler avec des organigrammes hiérarchiques

Les organigrammes hiérarchiques sont essentiels dans bien des présentations. Vous pouvez en dessiner avec l'outil Rectangle de PowerPoint. Cependant, cette tâche est complexe, surtout quand un élément doit être ajouté ou modifié et qu'il faut tout rebâtir.

Heureusement, il est très facile d'insérer des organigrammes hiérarchiques dans PowerPoint, et de les modifier selon l'évolution des éléments à afficher. Ajouter et réorganiser la chaîne de commandes est un jeu d'enfant. La Figure 15.5 montre un organigramme terminé.

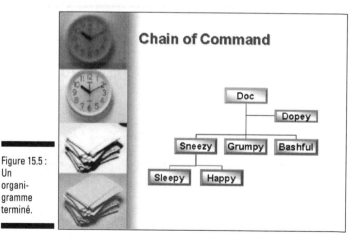

Figure 15.5 :
Un
organi-
gramme
terminé.

Les précédentes versions de PowerPoint utilisaient un petit programme pour gérer les organigrammes hiérarchiques. La nouvelle Bibliothèque de diagrammes est bien plus facile à mettre en œuvre.

Ajouter du texte aux figures

Cliquez simplement dans une des figures de texte de l'organigramme. Si nécessaire, PowerPoint ajuste la taille de la figure en fonction du texte que vous saisissez. Il en va de même si vous modifiez la taille du texte contenu dans une figure.

Vous pouvez utiliser n'importe quelle fonction de formatage pour formater un texte d'une figure d'un organigramme hiérarchique. Dans le but de garder des figures assez petites, évitez de saisir des noms ou des titres. Pour créer plusieurs lignes de texte dans une figure, contentez-vous d'appuyer sur la touche Entrée chaque fois que vous désirez commencer une nouvelle ligne.

Il arrive que le texte des figures des organigrammes devienne difficile à lire. Si c'est le cas, cliquez en haut de la forme de l'organigramme, puis sur le bouton Sélectionner de la barre d'outils Organigramme hiérarchique. Choisissez Branche. Ajustez ensuite la taille de la police (en utilisant la commande Augmenter la taille de police de la barre d'outils Mise en forme) pour rendre le texte lisible.

Ajouter des figures à un diagramme

Pour ajouter une nouvelle figure à un organigramme hiérarchique :

1. **Cliquez sur la figure à laquelle vous souhaitez en attacher une nouvelle.**

2. **Cliquez sur la flèche située à côté d'Insérer une forme dans la barre d'outils Organigramme hiérarchique. Vous avez le choix entre les figures suivantes :**

   Subordonné : Insère une nouvelle figure sous la figure sélectionnée.

   Collègue : Insère une nouvelle figure au même niveau que la figure sélectionnée.

   Assistant : Insère une nouvelle figure sous la figure sélectionnée, mais lui assigne un connecteur spécifique indiquant qu'il s'agit de la figure d'un assistant, pas d'un subordonné.

3. **Cliquez sur la nouvelle figure, puis saisissez le texte qui doit y apparaître.**

4. **Si nécessaire, faites glisser la figure pour ajuster sa position.**

Supprimer des figures d'un diagramme

Pour supprimer une figure, cliquez dessus afin de la sélectionner, et appuyez sur la touche Suppr. PowerPoint ajuste automatiquement le diagramme pour compenser la disparition d'une de ses figures.

Quand vous supprimez une figure d'un organigramme hiérarchique, observez ou non une minute de silence, selon la relation affective que vous entreteniez avec elle.

Déplacer une figure

Il suffit de faire glisser la figure à l'aide du pointeur de la souris. PowerPoint réorganise automatiquement le diagramme pour s'accommoder à son nouvel arrangement. Faire glisser des figures s'avère pratique pour réorganiser un diagramme un peu confus.

PowerPoint ne permet pas de déplacer des figures subordonnées, sauf si vous les sélectionnez toutes. C'est très facile. Il suffit de sélectionner la figure que vous désirez utiliser, de cliquer sur le bouton Sélectionner de la barre d'outils Organigramme hiérarchique, et de cliquer sur Branche. Maintenant, vous pouvez déplacer toute la branche.

Modifier la mise en page du diagramme

PowerPoint permet de réorganiser un diagramme de quatre façons :

✔ **Standard :** Des formes subordonnées sont placées au même niveau sous la forme supérieure.

✔ **Retrait des deux côtés :** Les subordonnés sont placés par deux sur chaque niveau situé sous le niveau supérieur. Une ligne de connexion les relie l'un à l'autre.

✔ **Retrait à gauche :** Les subordonnés sont empilés verticalement à gauche et sous le niveau supérieur, avec une ligne qui les connecte.

✔ **Retrait à droite :** Les subordonnés sont empilés verticalement à droite et sous le niveau supérieur, avec une ligne qui les connecte.

La Figure 15.6 montre un organigramme hiérarchique qui utilise ces quatre mises en page. Les trois premières figures se trouvent sous le niveau supérieur en fonction d'une mise en page Standard. Vous découvrez ensuite deux figures qui sont en retrait des deux côtés, puis trois figures en retrait à gauche et trois autres en retrait à droite.

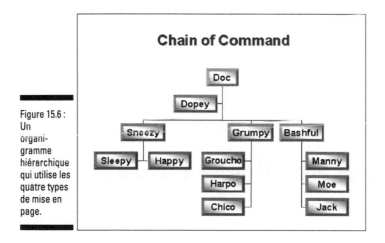

Figure 15.6 :
Un organigramme hiérarchique qui utilise les quatre types de mise en page.

Pour modifier la mise en page d'une branche de votre organigramme, commencez par cliquer sur la forme située en haut de la branche. Ensuite, cliquez sur le bouton Mise en forme de la barre d'outils Organigramme hiérarchique. Choisissez le type de mise en forme à utiliser.

Modifier le style du diagramme

Vous pouvez passer des heures à ajuster la mise en forme des figures, des lignes et du texte d'un organigramme hiérarchique. Mais, pour appliquer rapidement un bon format à votre diagramme, cliquez sur le bouton Mise en forme automatique. Il affiche la boîte de dialogue Bibliothèque des styles d'organigrammes hiérarchiques de la Figure 15.7. Sélectionnez le style voulu et cliquez sur Appliquer.

Figure 15.7 : La boîte de dialogue Bibliothèque des styles d'organigrammes hiérarchiques permet de donner rapidement un look d'enfer à votre diagramme.

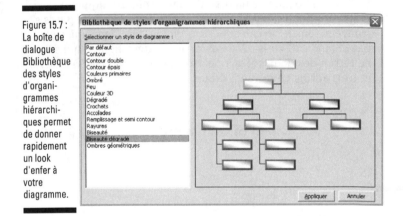

Travailler avec d'autres diagrammes

Les diagrammes Cyclique, Radial, Pyramidal, Venn et Cible sont utilisés dans de nombreuses circonstances pour illustrer la manière dont des éléments sont mis en relation avec d'autres. Par exemple, un diagramme Cible permet à votre auditoire d'apprécier les étapes qui vous permettent d'atteindre vos objectifs. Et un diagramme Pyramidal aide votre auditoire à voir comment une tâche ou une idée creuse les fondations d'autres tâches et idées.

Vous utilisez les contrôles d'une barre d'outils similaire pour créer et formater les cinq types de diagrammes restants. En réalité, vous pouvez même basculer d'un diagramme à un autre. Si vous décidez qu'un diagramme Venn est mieux qu'un diagramme Pyramidal, passez de l'un à l'autre.

Si vous ne me croyez pas, jetez un œil sur les deux diagrammes de la Figure 15.8. Ils affichent les mêmes informations. Pour créer ces diagrammes, j'ai commencé par créer le diagramme pyramidal. Ensuite, j'ai utilisé Edition/Dupliquer pour dupliquer le diagramme. J'ai alors remplacé le type de diagramme dupliqué.

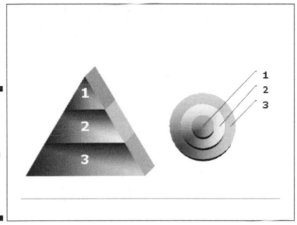

Figure 15.8 :
Deux
diagrammes
qui
présentent la
même
information
de diverses
manières.

Les paragraphes suivants décrivent les bases d'un travail avec ces différents types de diagrammes :

✔ **Remplacer le type de diagramme :** Pour remplacer le type de diagramme utilisé, cliquez sur le bouton Remplacer par de la barre d'outils Diagramme.

Mise en forme du diagramme : Toutes les modifications que vous avez apportées à l'aspect du diagramme sont perdues quand vous le remplacez. Vous devez refaire ces modifications qui vous plaisaient tant.

✔ **Ajout de texte à une forme :** Pour ajouter du texte à une forme, cliquez sur la forme et saisissez le texte. Vous pouvez utiliser les fonctions de mise en forme de

PowerPoint pour modifier la police, la taille, la couleur et le style du texte.

✓ **Ajout de forme à un diagramme :** Pour ajouter une forme à un diagramme, cliquez sur le bouton Insérer une forme de la barre d'outils Diagramme. Saisissez le texte approprié.

✓ **Suppression d'une forme :** Pour supprimer une forme, cliquez dessus et appuyez sur la touche Suppr.

✓ **Inverser l'ordre des formes :** Vous pouvez inverser l'ordre des formes du diagramme en cliquant sur le bouton Inverser le diagramme de la barre d'outils Diagramme.

✓ **Changer l'ordre des formes :** Pour modifier l'ordre des formes, cliquez sur la forme à déplacer puis sur les boutons Reculer ou Avancer la forme de la barre d'outils Diagramme.

✓ **Appliquer un format prédéfini :** Pour appliquer un format prédéfini, cliquez sur le bouton Mise en forme automatique de la barre d'outils Diagramme. Vous ouvrez ainsi la boîte de dialogue Bibliothèque de styles de diagrammes. Sélectionnez le style voulu et cliquez sur Appliquer.

✓ **Changer la couleur ou le style d'une forme :** Afin de modifier la couleur ou le style d'une forme individuelle, sélectionnez la forme, puis utilisez les boutons de la barre d'outils Dessin pour en modifier la couleur de trait et de remplissage, le style de l'ombre ou encore le style 3D.

✓ **Animer les éléments d'un diagramme :** Vous pouvez modifier intelligemment les éléments individuels d'un diagramme. Pour plus d'informations, reportez-vous au Chapitre 17.

Créer du texte fantaisie avec WordArt

WordArt est une fonction qui transforme un texte ordinaire en une œuvre surprenante. Chose exceptionnelle, WordArt est gratuit ! La Figure 15.9 montre ce que l'on peut faire avec WordArt en moins de trois minutes.

La vérité sort de la bouche du créateur...

Figure 15.9 :
Créez des
textes
fantaisie
avec
WordArt.

TRUC

Si vous avez déjà utilisé WordArt dans Word, vous n'apprendrez rien de plus ici.

1. **Choisissez Insertion/Image/WordArt.**

   La Galerie WordArt apparaît, comme sur la Figure 15.10.

2. **Cliquez sur le style WordArt que vous désirez utiliser, puis sur OK.**

   La boîte de dialogue Modification du texte WordArt apparaît, comme en témoigne la Figure 15.11.

3. **Saisissez le texte que vous souhaitez mettre en forme avec WordArt, puis cliquez sur OK.**

   L'objet WordArt apparaît en même temps que la barre d'outils WordArt.

4. **Testez les autres contrôles de WordArt.**

   Les divers contrôles disponibles se trouvent sur la barre d'outils WordArt représentée Figure 15.12.

Figure 15.10 :
La Galerie
WordArt
offre un vaste
choix d'effets
de texte.

Figure 15.11 :
La boîte de
dialogue
Modification
du texte
WordArt.

5. Cliquez n'importe où en dehors du cadre de l'objet WordArt pour revenir à la diapositive.

Pour PowerPoint, un objet WordArt n'est pas du texte. Vous ne pouvez pas le modifier en cliquant dessus. Il faut double-cliquer pour ouvrir la boîte de dialogue de modification de l'objet WordArt, et saisir, supprimer ou ajouter du texte.

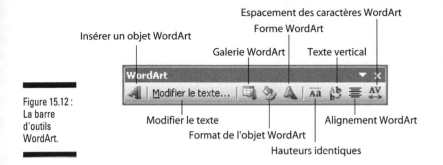

Figure 15.12 :
La barre
d'outils
WordArt.

Chapitre 16

Silence ! Moteur ! Action ! (ajouter du son et de la vidéo)

. . . .

Dans ce chapitre :

▶ Ajouter de drôles d'élucubrations à vos présentations.

▶ Lire un CD depuis votre présentation.

▶ Narrer vos présentations.

. . . .

*P*owerPoint permet d'ajouter des sons et des animations à vos présentations. Vous pouvez même ajouter des applaudissements et des rires comme dans les sitcoms.

Vous pouvez aussi insérer des extraits de films aussi célèbres que *Citizen Kane*. En fait, vous ajoutez des effets spéciaux.

Ce chapitre n'est pas aussi long que l'exige la manipulation de tels médias. En effet, la gestion parfaite des éléments multimédias ne peut se faire que dans des programmes d'édition multimédia à vocation professionnelle. PowerPoint permet de coller des éléments sonores et vidéographiques dans votre diaporama. Vous amenez vos présentations à un niveau technologique hors du commun.

Ajouter des sons à une diapositive

Il n'y a pas si longtemps, le simple *bip* émis par un ordinateur suscitait l'admiration de tous. Aujourd'hui, si un ordinateur n'est pas capable d'afficher des vidéos et de lire de la musique, les enfants lui jettent des pierres. On ne pardonne plus rien à l'informatique !

Si vous devez ajouter une carte son à votre ordinateur, sachez que vous en trouvez à 15 euros chez les assembleurs. Incroyable ! Mais un ordinateur auquel on ne peut pas ajouter de dispositif audio est certainement trop ancien pour faire fonctionner PowerPoint 2003.

À propos de MP3 et d'Internet

Ces dernières années, un nouveau format audio a fait une entrée fracassante dans l'univers informatique, multimédia et Internet : le MP3. Pourquoi ? Parce qu'il réduit d'environ dix fois la taille d'un fichier Wav sans être d'une qualité dix fois moins bonne. Ainsi, vous pouvez graver des heures de musique sur un simple CD-R d'une capacité de 650 Mo.

Le format MP3 a été démocratisé par le site Internet Napster qui a fait couler beaucoup d'encre ces dernières années. La possibilité de télécharger gratuitement des CD entiers de vos chanteurs et groupes préférés n'a pas du tout amusé les artistes et surtout les maisons de disques.

Napster n'existe plus, mais il subsiste encore de nombreuses sources Web où vous pouvez télécharger du MP3. Aussi, si vous utilisez des fichiers MP3 téléchargés, pensez aux artistes qui ne perçoivent aucun droit sur leur musique. Ce n'est pas très grave pour ceux qui vendent par ailleurs des millions d'albums, mais plus embêtant pour des groupes marginaux comme Minamata ou La NomenKlaTur qui ne vendent qu'une centaine de CD tous les trois ans. En plus, le législateur a réagi assez vite, et si le téléchargement n'a rien d'illégal en soi, l'utilisation des musiques sans autorisation et sans versement de droits est complètement interdite. Sachez que vous risquez des poursuites judiciaires qui conduisent inévitablement au versement de très lourds dommages et intérêts.

Une autre méthode pour disposer de fichiers MP3 consiste à compresser soi-même des fichiers WAV en MP3 ! Enfin, vous pouvez "ripper" vos CD audio en MP3, c'est-à-dire procéder à une extraction audionumérique du contenu d'un CD audio standard pour en profiter sous forme de fichiers MP3.

Insérer un objet audio

Pour ajouter du son à une diapositive :

1. **Affichez la diapositive sur laquelle vous désirez ajouter le son.**

2. **Choisissez Insertion/Films et sons/A partir d'un fichier audio.**

   La boîte de dialogue Insérer un son apparaît, comme sur la Figure 16.1.

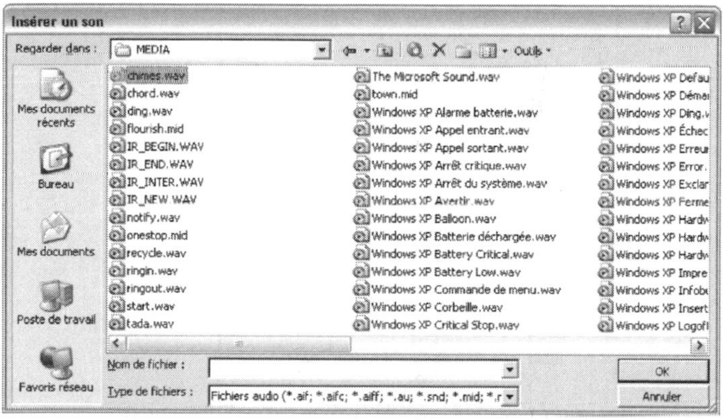

Figure 16.1 : La boîte de dialogue Insérer un son.

3. **Sélectionnez le fichier audio à insérer.**

   Vous devrez peut-être parcourir votre disque dur à la recherche du fichier désiré.

4. **Cliquez sur OK.**

   Une boîte de dialogue apparaît.

5. **Faites votre choix : voulez-vous que le son soit joué automatiquement ou uniquement quand vous cliquez dessus.**

Vous pouvez insérer un son présent dans la Bibliothèque multimédia Microsoft ou disponible sur le site Web de Microsoft. Pour cela, choisissez Insertion/Films et sons/Sons de la Bibliothèque multimédia. Vous affichez le volet Insérer une image clipart (voir la Figure 16.2) qui liste tous les fichiers audio disponibles. Parcourez la liste pour trouver le son dont vous avez besoin, puis double-cliquez dessus afin de l'ajouter à votre présentation. (Pour entendre le son avant de l'insérer, cliquez sur l'icône avec le bouton droit de la souris. Dans le menu contextuel, choisissez Aperçu et propriétés.)

Figure 16.2 : Insérer un son depuis la Bibliothèque multimédia.

Voici quelques pensées aléatoires sur l'ajout de fichiers audio sur vos diapositives :

- Pour lire un son en mode Normal, double-cliquez sur son icône. Pendant le diaporama, un seul clic suffit pour démarrer la lecture du son.

TRUC

 ✔ Les fichiers WAV peuvent être joués pendant une transition. Pour plus d'informations, consultez le Chapitre 17.

 ✔ Si vous ne souhaitez plus sonoriser votre présentation, cliquez sur l'icône des sons et appuyez sur la touche Suppr.

 ✔ Pour que le son soit joué en boucle, cliquez sur l'icône du fichier avec le bouton droit de la souris. Dans le menu contextuel, choisissez Modifier Objet son. Vous accédez à la boîte de dialogue Options du son (Figure 16.3). Cochez la case En boucle jusqu'à l'arrêt et cliquez sur OK.

Figure 16.3 : Définir la boucle audio.

Lire un son sur plusieurs diapositives

Un son peut être joué sur plusieurs diapositives. Il peut même être joué en boucle jusqu'à la fin de la présentation. Malheureusement, PowerPoint a la sale habitude d'interrompre un son dès que vous passez à la diapositive suivante. Voici comment modifier ce comportement :

1. **Cliquez sur l'icône du son avec le bouton droit de la souris. Dans le menu contextuel, choisissez Personnaliser l'animation.**

   Cette fonction d'animation personnalisée est décrite au Chapitre 17, mais l'aspect qui nous intéresse ici concerne la lecture des fichiers audio. Quand vous choisissez cette commande, le volet Personnaliser l'animation s'affiche, comme l'illustre la Figure 16.4.

2. Cliquez sur la flèche située à droite de l'élément audio et choisissez Options d'effet.

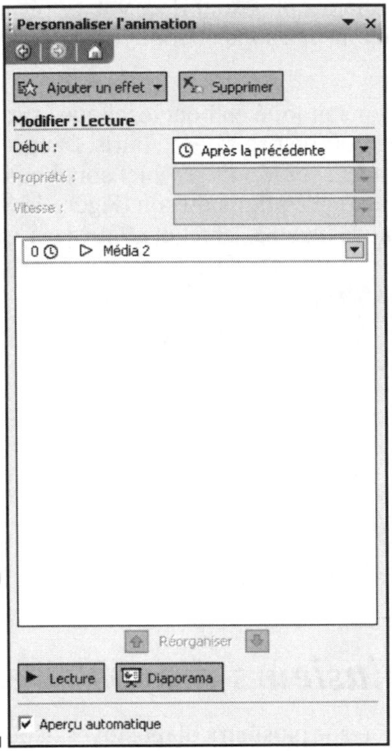

Figure 16.4 :
Le volet
Personnaliser
l'animation.

Vous accédez à la boîte de dialogue Lire le son (Figure 16.5).

3. Cliquez sur l'option Après, et définissez le nombre de diapositives sur lesquelles le son doit être joué.

Le décompte des diapositives commence sur la diapositive où le son est actif. Par exemple, votre présentation contient 10 diapositives. Vous insérez un son sur la diapo n° 3 et désirez qu'il soit lu sur les diapositives 4, 5 et 6. Le son doit s'arrêter à l'affichage de la diapositive 7. Dans ce cas, fixez la valeur Après sur 4. Le son englobe les diapos 3, 4, 5 et 6, puis s'arrête à l'affichage de la 7.

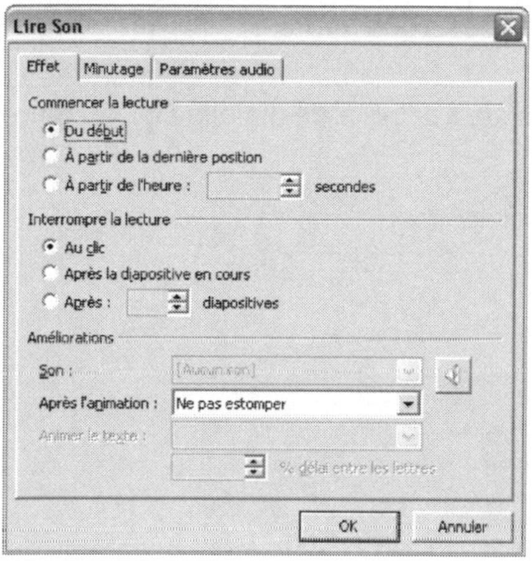

Lire Son

Effet | Minutage | Paramètres audio |

Commencer la lecture

- Du début
- À partir de la dernière position
- À partir de l'heure : [   ] secondes

Interrompre la lecture

- Au clic
- Après la diapositive en cours
- Après : [   ] diapositives

Améliorations

Son : [Aucun son]

Après l'animation : Ne pas estomper

Animer le texte :

[   ] % délai entre les lettres

OK | Annuler

Figure 16.5 :
La boîte de
dialogue Lire
Son.

4. Cliquez sur OK.

C'est tout !

Si le fichier son n'est pas assez long pour être lu sur toutes les diapositives voulues, cliquez sur l'icône du son avec le bouton droit de la souris. Dans le menu contextuel, choisissez Modifier Objet son. Vous ouvrez la boîte de dialogue Options du son ; cochez la case En boucle jusqu'à l'arrêt.

Rien ne vous empêche d'insérer plusieurs sons sur une même diapositive. Par exemple, vous pouvez parfaitement implémenter une musique de fond et un effet d'applaudissements.

Lire une piste d'un CD audio

PowerPoint peut demander à votre lecteur de CD-ROM de lire les pistes d'un CD audio. Voici comment procéder :

1. Prenez un CD audio contenant la musique qui vous intéresse. Notez bien la plage à jouer.

PowerPoint n'affiche pas le nom des pistes.

2. Insérez le CD dans le lecteur de CD-ROM de votre ordinateur.

3. **Cliquez sur Insertion/Films et sons/Lire une piste de CD audio.**

Vous accédez à la boîte de dialogue de la Figure 16.6.

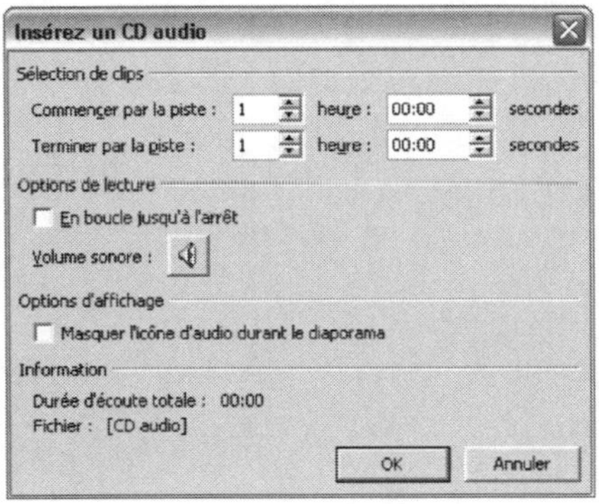

Insérez un CD audio

Sélection de clips

Commencer par la piste : 1   heure : 00:00   secondes

Terminer par la piste : 1   heure : 00:00   secondes

Options de lecture

☐ En boucle jusqu'à l'arrêt

Volume sonore :

Options d'affichage

☐ Masquer l'icône d'audio durant le diaporama

Information

Durée d'écoute totale : 00:00

Fichier : [CD audio]

OK   Annuler

Figure 16.6 :
La boîte de
dialogue
Insérez un
CD audio.

4. **Sélectionnez les numéros des pistes de début et de fin.**

Pour jouer une seule piste, saisissez le même chiffre dans les deux champs.

5. **Définissez les autres options de lecture.**

Vous pouvez ajuster le volume sonore, et spécifier ou non l'apparition d'une icône pendant le diaporama.

6. **Cliquez sur OK.**

Une boîte de dialogue demande si le son doit jouer automatiquement quand le diaporama s'affiche.

7. Cliquez sur Automatiquement ou sur Lorsque vous cliquez dessus.

N'oubliez jamais d'insérer le CD dans votre lecteur avant de lancer la présentation.

Enregistrer une narration

PowerPoint inclut une bien belle fonction qui permet d'enregistrer votre voix pour commenter le diaporama. Dans ce cas, PowerPoint stocke la narration sous forme de fichiers individuels qui permettent d'assurer la synchronisation des commentaires avec chaque diapositive de la présentation. PowerPoint peut également stocker le minutage de chaque diapositive. Ainsi, quand vous rejouez la présentation, PowerPoint avance automatiquement chaque diapositive en accord avec la durée de la narration.

Pour enregistrer une narration, allez à la première diapositive et suivez ces étapes :

1. **Choisissez Diaporama/Enregistrer la narration.**

   La boîte de dialogue de la Figure 16.7 apparaît.

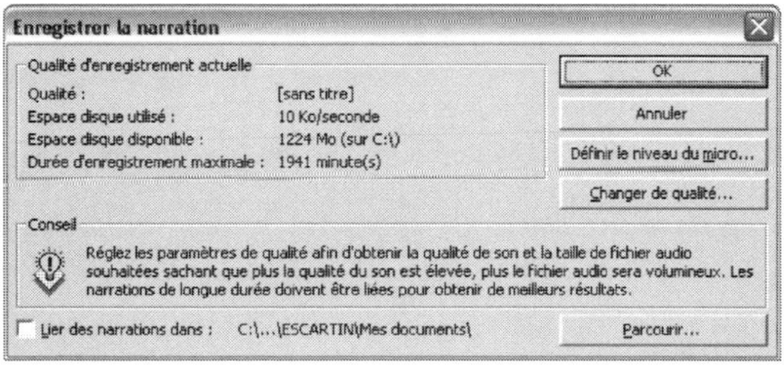

Figure 16.7 :
La boîte de
dialogue
Enregistrer la
narration
permet
d'enregistrer
une narration
pour le
diaporama.

2. **Définissez le niveau du microphone.**

   Il suffit de cliquer sur le bouton Définir le niveau du micro. La boîte de dialogue Vérification du microphone apparaît, comme sur la Figure 16.8. Parlez dans le micro en lisant le texte affiché sur la boîte de dialogue. Au fur et à mesure que vous parlez, ajustez le niveau d'enregistrement. Dès qu'il convient, cliquez sur OK.

3. **Cliquez sur OK pour lancer le diaporama.**

   La première diapositive de votre présentation est affichée.

4. **Parlez ! Appuyez sur Entrée pour passer à la diapositive suivante.**

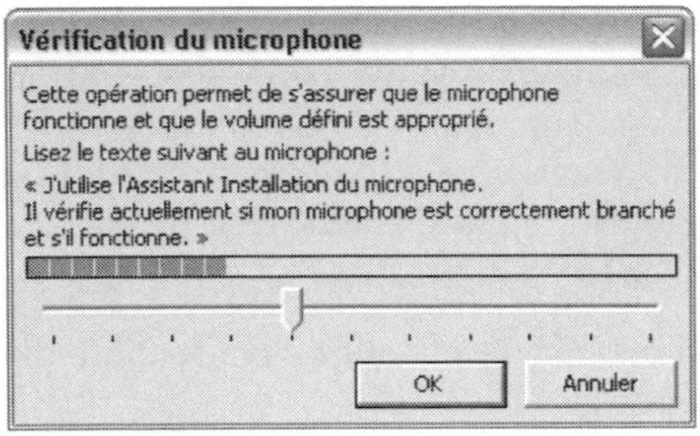

Figure 16.8 :
Réglez le
niveau du
micro.

Quand vous atteignez la fin du diaporama, PowerPoint
affiche la boîte de dialogue de la Figure 16.9.

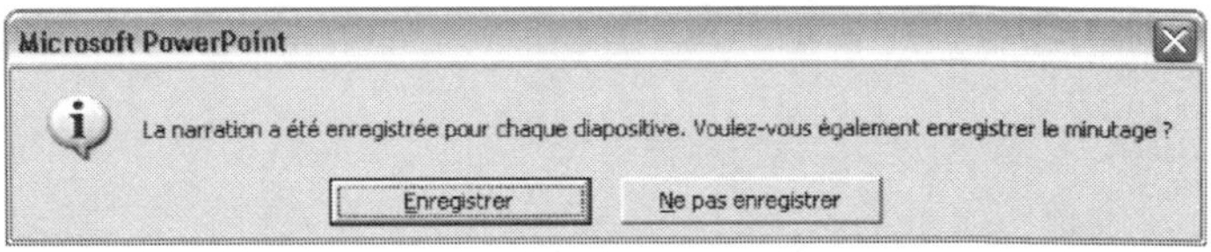

Figure 16.9 :
La narration
est
enregistrée.
Voulez-vous
sauver le
minutage ?

5. **Cliquez sur Enregistrer si vous souhaitez que
   PowerPoint avance automatiquement les diapositives
   en fonction de la durée de la narration. Pour une
   progression manuelle du diaporama, cliquez sur Ne pas
   enregistrer.**

   Vous voici en mode Trieuse de diapositives. Le minutage
   de chaque diapositive est affiché.

6. **Appuyez sur F5 ou cliquez sur le bouton Diaporama
   pour en démarrer la lecture. Vous pouvez alors vérifier
   votre narration.**

   Le diaporama commence. Vous entendez votre narration
   par les haut-parleurs, et les diapositives avancent automatiquement si vous avez cliqué sur Enregistrer à
   l'étape 5.

Gardez ceci à l'esprit quand vous insérez une narration :

✔ PowerPoint enregistre la narration de chaque diapositive sous forme de fichier séparé. Le son est ensuite attaché à la diapositive. L'icône d'un haut-parleur apparaît dans le coin des diapositives après l'enregistrement de la narration.

✔ La narration supprime tous les sons que vous aviez placés sur les diapositives.

✔ Si vous souhaitez afficher la présentation sans narration, choisissez Diaporama/Paramètres du diaporama. Cochez la case Diaporama sans narration.

✔ Vous pouvez réenregistrer une narration pour une seule diapositive. Il suffit de l'afficher en mode Normal et de choisir Diaporama/Enregistrer la narration. PowerPoint demande si vous désirez commencer l'enregistrement à la diapositive en cours ou depuis la première diapositive. Cliquez sur Diapositive en cours. Dès que vous avez fini d'enregistrer la narration de cette diapositive, appuyez sur la touche Echap.

✔ Pour supprimer une narration, cliquez sur l'icône du haut-parleur située dans le coin de la diapositive. Appuyez sur la touche Suppr. Pour supprimer la narration sur toute la présentation, supprimez le haut-parleur sur chaque diapositive.

Chapitre 17

Animations : ce n'est pas Disney, mais c'est tout de même pas mal

. . . .

Dans ce chapitre :

▶ Utiliser des transitions.

▶ Appliquer des jeux d'animations.

▶ Travailler avec le volet Personnaliser l'animation.

▶ Animer du texte.

▶ Paramétrer le minutage de l'animation.

. . . .

S i vous envisagez de projeter l'animation sur votre ordinateur ou sur un écran, vous pouvez utiliser ou abuser des
possibilités d'animation de PowerPoint 2003. On ne croira pas
que les studios Disney ont travaillé pour vous, mais l'auditoire
risque d'être agréablement surpris. Les animations ne sont
qu'un exemple des facultés de PowerPoint à rendre une
présentation très spectaculaire.

Ce chapitre commence par les transitions de diapositives.
Techniquement, il ne s'agit pas d'animations, car les éléments
de chaque diapositive ne sont pas animés. Cependant, on les
utilise de concert avec des animations pour créer des présentations bien plus intéressantes que si elles affichaient plate-
ment des informations.

Utiliser des transitions

Une *transition* est une méthode qui permet de passer d'une diapositive à une autre. La transition la plus classique consiste à afficher brutalement la nouvelle diapositive (efficace, mais ça ne dénote pas une grande imagination). PowerPoint propose plus de cinquante effets de transition. Par exemple, la nouvelle diapositive peut recouvrir l'ancienne depuis le coin supérieur droit de l'écran ou toute autre direction. Vous pouvez effectuer des fondus, utiliser des volets ou encore faire tourner la diapositive comme à la fête foraine.

Pour utiliser une transition :

1. **Affichez la diapositive à laquelle vous souhaitez appliquer une transition.**

   Pour appliquer un jeu d'animations à toutes vos diapositives, passez cette étape en affichant n'importe quelle diapositive.

   Si vous désirez appliquer différentes transitions à différentes diapositives, vous souhaiterez certainement travailler en mode Trieuse de diapositives. Ce mode met à votre disposition divers éléments de gestion des transitions.

2. **Choisissez Diaporama/Transition.**

   Le volet Transition apparaît, comme le montre la Figure 17.1. (Cette figure montre PowerPoint en mode Trieuse de diapositives, mais le volet apparaît tout aussi bien en mode Normal.)

3. **Cliquez sur l'effet de transition à utiliser.**

   PowerPoint prévisualise la transition en animant la diapositive en cours. Si vous désirez voir de nouveau l'effet de transition, cliquez sur cette dernière.

4. **Ajustez la vitesse de la transition.**

   Dans la section Modifier la transition, déroulez la liste Vitesse et choisissez Lente, Moyenne ou Rapide. Sélectionnez le paramètre qui réagit le mieux en fonction de la puissance de votre ordinateur.

Figure 17.1 :
Paramétrer
une
transition.

5. Si vous souhaitez être original, ajoutez un son.

La liste Son contient une collection de bruits de transition
comme des applaudissements, une caisse enregistreuse
ou des acclamations. Vous pouvez sélectionner un fichier
audio au format .wav, en activant l'option Autre son en fin
de liste.

**6. Pour que la diapositive avance automatiquement,
cochez la case Automatiquement après.**

Si vous ne cochez pas cette case, PowerPoint attend que
vous cliquiez sur le bouton de la souris ou que vous
appuyiez sur une touche afin de passer à la diapositive
suivante.

**7. Pour appliquer l'animation à toute la présentation,
cliquez sur le bouton Appliquer à toutes les diapositives.**

Cela applique l'animation de transition à toutes les
diapositives de la présentation.

Utiliser des jeux d'animations

Un *jeu d'animations* est une transition de diapositives prédéfinie et une collection d'effets d'animations qui s'appliquent aux diapositives. L'un des plus rudimentaires se nomme Apparition. Il anime les paragraphes en les faisant apparaître ligne par ligne. Les jeux les plus complexes font voler le texte sur la diapositive, en retournent les éléments et les font même pivoter.

Voici comment appliquer un jeu d'animations à vos diapositives :

1. **Affichez la diapositive à laquelle vous désirez appliquer le jeu d'animations.**

   Pour appliquer le jeu à toutes les diapositives, ignorez cette étape et affichez n'importe quelle diapo.

2. **Choisissez Diaporama/Jeux d'animations.**

   Le volet Conception des diapositives apparaît, affichant tous les jeux d'animations disponibles, comme en témoigne la Figure 17.2.

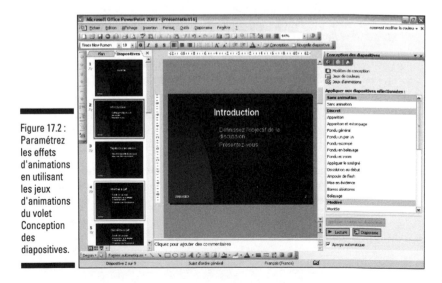

Figure 17.2 : Paramétrez les effets d'animations en utilisant les jeux d'animations du volet Conception des diapositives.

3. **Cliquez sur le jeu d'animations à utiliser.**

   PowerPoint prévisualise l'effet en animant la diapositive en cours. Pour revoir l'effet, cliquez de nouveau sur le jeu d'animations.

   Les jeux d'animations sont organisés en trois catégories : Discret, Modéré ou Captivant. Au début de la liste, vous voyez les cinq jeux les plus récemment utilisés. Il existe également une catégorie "Sans animation" qui permet d'enlever toutes les animations des diapositives.

   Cliquer sur les jeux d'animations prévisualise et applique l'effet sur la diapositive en cours. Si vous ne souhaitez pas appliquer l'effet, appuyez sur Ctrl+Z ou choisissez Edition/Annuler.

4. **Pour appliquer l'animation à toute la présentation, cliquez sur le bouton Appliquer à toutes les diapositives.**

5. **Prévisualisez le diaporama pour vous assurer que tout fonctionne correctement.**

   Il suffit de cliquer sur le bouton Diaporama du volet affichant les jeux d'animations, de choisir Diaporama/ Visionner le diaporama ou d'appuyer sur la touche F5.

Personnaliser l'animation

Bien que l'utilisation des jeux d'animations soit largement suffisante pour donner du piment à vos diaporamas, vous subjuguerez votre auditoire en mettant en œuvre les fonctions de personnalisation des animations. Ainsi, les objets peuvent se déplacer sur vos diapositives ; certains le font automatiquement, d'autres répondent au clic de la souris. Ils s'animent seuls ou à plusieurs, et parfois en émettant des sons. Pas mal !

Comprendre la personnalisation de l'animation

Avant d'entrer dans les détails, voici quelques concepts de base à bien intégrer.

Vous pouvez appliquer des animations personnalisées à n'importe quel objet d'une diapositive, c'est-à-dire à un espace réservé, un objet dessiné comme une forme automatique, une zone de texte ou encore un clipart. Pour les objets textuels, vous pouvez spécifier que l'animation sera appliquée à tout le texte ou aux paragraphes individuels de l'objet. Vous pouvez également spécifier si l'effet s'applique d'un seul tenant, mot par mot ou lettre par lettre. Vous indiquerez si l'effet survient automatiquement ou après un clic de souris, ou encore après avoir appuyé sur la touche Entrée.

Personnaliser l'animation crée quatre types d'effets d'animations aux objets :

- ✔ **Ouverture :** Manière dont un objet entre dans la diapositive. Si vous ne spécifiez pas d'effet d'entrée, l'objet s'affiche à la position où vous l'avez placé sur la diapositive. Mais pour être plus créatif utilisez l'un des 52 effets proposés.

- ✔ **Emphase :** Permet d'attirer l'attention sur un objet déjà en place. PowerPoint propose 31 effets d'emphase.

- ✔ **Fermeture :** Définit la manière dont un objet sort de la diapositive. La plupart des objets ne quittent pas la diapositive. Si votre diapositive l'exige, PowerPoint met à votre disposition 52 effets différents, analogues aux effets d'ouverture.

- ✔ **Trajectoire :** Animation personnalisée des plus intéressantes. Une trajectoire est suivie par l'objet animé. PowerPoint fournit 64 trajectoires prédéfinies comme des cercles, des étoiles, des larmes, des spirales, etc.

  Si la trajectoire commence en dehors de l'écran et se termine sur la diapositive, vous obtenez un effet d'ouverture. Si la trajectoire commence sur la diapositive mais se termine en dehors, vous obtenez un effet de fermeture. Et si la trajectoire commence et se termine sur la diapositive, vous obtenez un effet d'emphase. Rien ne vous empêche de définir une trajectoire commençant et se terminant en dehors de la diapositive. Dans ce cas, l'objet ne fait que passer.

Chaque effet appliqué possède plusieurs propriétés qui permettent de le personnaliser. Les effets ont tous un paramètre de vitesse, et certains sont pourvus de paramètres supplémentaires qui permettent de contrôler la plage de mouvements d'un objet.

Ajouter un effet

Pour animer un objet sur une diapositive :

1. **En mode Normal, affichez la diapositive qui contient l'objet à animer, et cliquez sur l'objet à sélectionner.**

2. **Choisissez Diaporama/Personnaliser l'animation.**

   Le volet du même nom apparaît, comme sur la Figure 17.3. Dans cet exemple, je veux animer cette forme circulaire.

Figure 17.3 :
Animer un
objet.

3. **Cliquez sur le bouton Ajouter un effet, puis sélection-nez, dans le menu qui se déroule, le type d'effet que vous désirez créer.**

Le menu liste les quatre types d'effets : Ouverture, Emphase, Fermeture et Trajectoires. Dans cet exemple, j'ai choisi Ouverture pour créer un effet d'entrée. Une liste d'effets apparaît.

4. **Choisissez l'effet à appliquer. S'il ne se trouve pas dans le menu, sélectionnez Autres effets.**

Une boîte de dialogue apparaît. Par exemple, sur la Figure 17.4, vous voyez la boîte de dialogue Ajouter un effet de début. Elle apparaît quand vous choisissez Ajouter un effet/Ouverture/Autres effets.

Figure 17.4 :
La boîte de dialogue Ajouter un effet de début liste tous les effets d'ouverture disponibles.

Ajouter un effet de début	
De base	
⭐ Apparaître	⭐ Balayer
⭐ Bandes	⭐ Barres aléatoires
⭐ Cercle	⭐ Coin
⭐ Damier	⭐ Dissolution interne
⭐ Effets aléatoires	⭐ Encadré
⭐ Entrée brusque	⭐ Flash
⭐ Fractionner	⭐ Glisser vers l'intérieur
⭐ Insertion furtive	⭐ Losange
⭐ Plus	⭐ Roue
⭐ Stores	
Discret	
⭐ Développer	⭐ Estomper
⭐ Fondu en rotation	⭐ Fondu et zoom
Modéré	

☑ Aperçu de l'effet   OK   Annuler

Les effets les plus communément utilisés sont listés à droite. Si l'effet est dans le menu, sélectionnez-le. Inutile d'ouvrir la boîte de dialogue Ajouter un effet.

5. **Choisissez l'effet désiré et cliquez sur OK.**

L'effet d'ouverture sélectionné apparaît dans le volet Personnaliser l'animation, comme le montre la Figure 17.5. Le numéro de l'effet (dans ce cas 1) apparaît à côté de l'objet. N'ayez crainte, personne ne le verra.

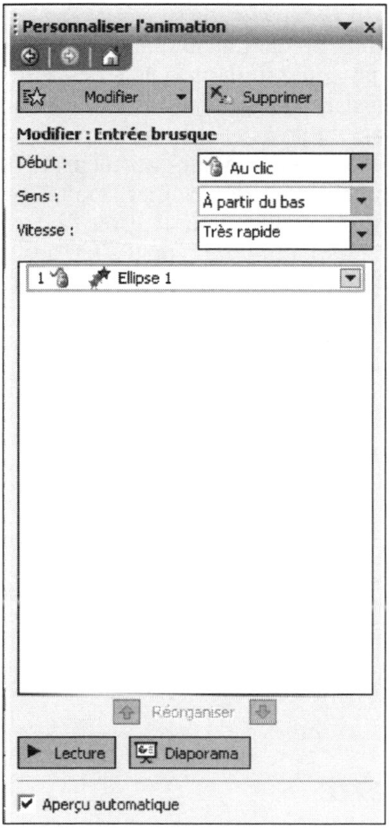

Figure 17.5 :
Le volet
Personnaliser
l'animation
liste les
animations
que vous
désirez créer.

6. **Ajustez les paramètres des propriétés si nécessaire.**

Sur la Figure 17.5, l'effet a deux paramètres de propriétés : Sens et Vitesse. Le paramètre Sens indique la direction de déplacement du visage, et Vitesse définit sa rapidité d'entrée en scène.

7. Pour prévisualiser l'animation, cliquez sur le bouton Lecture, en bas du volet Personnaliser l'animation.

Ou, si vous préférez, lancez la lecture du diaporama pour apprécier l'aspect de l'animation. Si rien ne se passe, essayez de cliquer sur le bouton de la souris.

Vous pouvez manipuler un effet en cliquant sur la flèche dirigée vers le bas qui apparaît dans la liste des animations personnalisées. Choisissez-y Options d'effet. Cela ouvre une boîte de dialogue semblable à celle de la Figure 17.6. Elle permet de définir un son, de modifier la couleur de l'objet une fois l'animation terminée et de déterminer la manière dont le texte est animé (tout d'un coup, un mot après l'autre ou une lettre après l'autre). En fonction du type d'effet, des contrôles supplémentaires apparaissent dans cette boîte de dialogue.

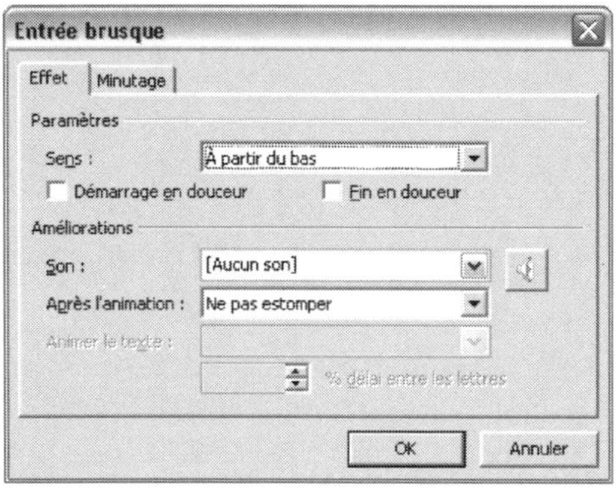

Figure 17.6 :
La boîte de
dialogue des
paramètres
de l'effet.

Animer du texte

On anime généralement du texte pour attirer l'attention sur un paragraphe. Il suffit pour cela d'appliquer un effet d'ouverture à l'espace réservé du texte. Ajustez ensuite les paramètres de l'effet. Ainsi, au début de la présentation, la diapositive n'affiche que le titre. Cliquez une fois et le premier paragraphe apparaît. Lisez tranquillement ce paragraphe, puis cliquez sur le bouton de la souris pour afficher le deuxième paragraphe.

Continuez à lire et à cliquer jusqu'à ce que tous les paragraphes soient affichés. Ensuite, quand vous cliquez, vous passez à la diapositive suivante.

Une autre approche consiste à utiliser l'effet Emphase au lieu d'Ouverture. Cela permet d'afficher tous les paragraphes sur la diapositive. Quand vous cliquez sur la souris, l'effet d'Ouverture est appliqué au premier paragraphe – il change de couleur, grossit, tourne, etc. Chaque fois que vous cliquez, l'effet est appliqué au paragraphe suivant de la séquence.

Vous devez d'abord ajouter l'effet à l'espace réservé du texte. Vous appelez ensuite la boîte de dialogue des options de l'effet, en cliquant sur la flèche à droite de l'effet dans le volet Personnaliser l'animation. Cela ouvre la boîte de dialogue des options de l'effet. Cliquez sur l'onglet Animation texte, comme le montre la Figure 17.7.

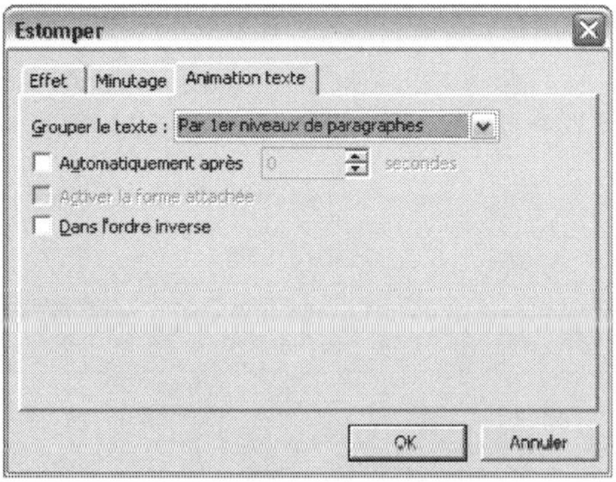

Figure 17.7 :
Animer du
texte.

Minuter vos animations

La première chose à faire est de lister correctement les divers effets appliqués. Les effets sont ajoutés à la liste selon leur ordre de création. Il est très rare de déterminer l'ordre exact des effets au moment où on les définit dans une présentation. Il suffit de faire monter ou descendre les effets dans la liste pour les ordonner correctement.

Une fois les effets dans le bon ordre, utilisez le contrôle Début, situé en haut du volet Personnaliser l'animation. Ce contrôle a trois options :

✔ **Au clic :** Lance l'effet quand vous cliquez sur la souris ou appuyez sur la touche Entrée.

✔ **Avec la précédente :** Lance l'effet quand l'effet situé immédiatement au-dessus dans la liste démarre. Utilisez cette option pour animer plusieurs objets simultanément.

✔ **Après la précédente :** Lance l'effet dès que le précédent est terminé.

Commencez par le premier effet de la liste. Cliquez ensuite sur chaque effet pour les sélectionner. Choisissez une option dans la liste Début. Si tous les effets, à l'exception du premier, sont fixés sur Avant la précédente ou Après la précédente, toutes les animations des diapositives s'exécutent automatiquement quand vous cliquez pour lancer le premier effet.

Par exemple, la Figure 17.8 affiche une diapositive où trois rectangles se rassemblent pour former une figure géométrique.

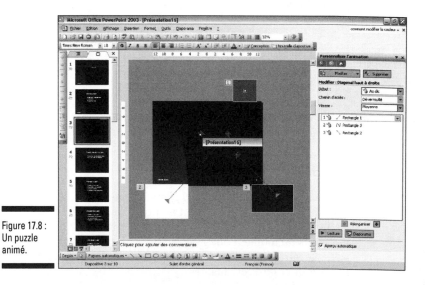

Figure 17.8 :
Un puzzle
animé.

Suivez les étapes ci-dessous pour concevoir une forme géométrique, comme sur la Figure 17.8 :

1. **Sur la pièce supérieure droite, ajoutez un effet de trajectoire Personnalisé. Il suffit ensuite de tracer le trait depuis le point de départ jusqu'au point d'arrivée. Ensuite, dans le volet Personnaliser l'animation, définissez les options suivantes :**

   Début : Au clic

   Chemin d'accès : Déverrouillé

   Vitesse : Moyenne

2. **Appliquez les mêmes effets et paramètres aux deux autres rectangles. Pensez bien à situer leur point de départ en dehors de la diapositive.**

Pour plus de contrôle sur le minutage des effets, cliquez sur la flèche située à droite de l'effet. Choisissez Minutage. Une boîte de dialogue apparaît, comme sur la Figure 17.9. Voici quelques explications sur le minutage :

✔ **Début :** Même contrôle que la liste Début du volet Personnaliser l'animation.

✔ **Délai :** Permet de retarder le démarrage de l'animation en spécifiant des secondes.

✔ **Vitesse :** Même contrôle que la liste Vitesse du volet Personnaliser l'animation.

✔ **Répéter :** Répète l'effet pour plusieurs animations successives de l'objet.

✔ **Revenir au début de la lecture :** Certains effets laissent l'objet dans une autre condition que celle qui était la sienne au moment du démarrage de l'effet. Par exemple, l'objet peut changer de couleur ou de taille, ou encore se déplacer à une nouvelle position sur la diapositive. Si vous cochez cette option, l'objet reprend ses propriétés d'origine quand l'animation est terminée.

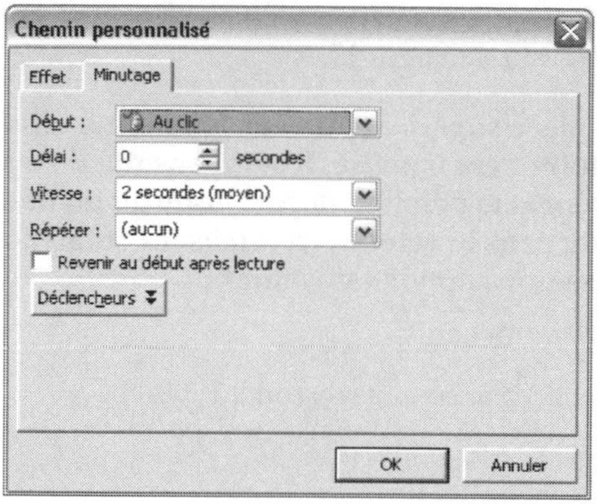

Figure 17.9 :
Paramétrer
les contrôles
du minutage.

Vibration d'un texte

L'un de mes effets favoris est de faire légèrement vibrer un
texte. L'effet est d'autant plus intéressant que la police utilisée
est originale. Voici comment réaliser cet effet :

1. **Saisissez le texte à faire vibrer et sélectionnez une
   police de caractères.**

2. **Appliquez un facteur de zoom de 400 %.**

   Il sera plus facile de définir une trajectoire courte.

3. **Cliquez sur Diaporama/Personnaliser l'animation.**

4. **Dans le volet homonyme, sélectionnez Ajouter un effet/
   Trajectoires/Tracer une trajectoire personnalisée/
   Dessin à main levée.**

   Le pointeur de la souris prend la forme d'un crayon.

5. **Dessinez un petit motif hésitant au centre du texte.**

   Il suffit de faire quelques gribouillages de bas en haut sur
   une très courte distance et une faible hauteur.

6. **Revenez à un facteur de zoom de 100 %.**

7. **Dans le volet Personnaliser l'animation, cliquez sur la
   flèche de l'animation que vous venez de créer.**

8. **Choisissez Minutage. Fixez alors une vitesse Très rapide, et optez pour une répétition de type Jusqu'à la fin de la diapositive.**

9. **Lancez le diaporama pour apprécier l'effet.**

Vous devrez certainement tester plusieurs options et même refaire la trajectoire pour obtenir l'effet désiré. Quoi qu'il en soit, n'hésitez pas à expérimenter !

Quatrième partie

Les dix commandements

Dans cette partie...

PowerPoint est un programme riche dont la complexité ambiante risque de vous faire oublier certaines choses. Pour cette raison, les chapitres de cette partie traitent de points importants que vous devez connaître concernant PowerPoint.

Chapitre 18

Les dix commandements de PowerPoint

· ·

Et le sage utilisateur Windows dit : "Mais qui suis-je pour créer cette présentation ? Je manque d'éloquence, je parle lentement, mes couleurs sont fades et mes graphiques obsolètes." Et Microsoft répondit : "N'aie pas peur, je vais te donner les Tables de la Loi PowerPoint et tout deviendra simple : tes diapositives, tes titres et tes puces, et même tes diagrammes."

– Présentations 1:1

Ces dix commandements de PowerPoint ont été transmis de génération en génération. Obéissez-leur et vous serez un as de ce programme. Vous manipulerez les graphiques sans complexe, et diffuserez vos présentations avec une dextérité sans égale.

I. Ton travail régulièrement tu enregistreras

Toutes les deux ou trois minutes, ayez le réflexe Ctrl+S. Cela ne vous demande pas plus d'une seconde. Qu'est-ce qu'une seconde à côté de l'éternité qui attend votre présentation en cas de coupure de courant, de blocage de votre système ou d'un problème de disque.

II. Tes présentations dans un dossier spécifique tu stockeras

Chaque fois que vous enregistrez un fichier, vérifiez plutôt deux fois qu'une le dossier dans lequel vous le stockez. Il est très facile d'enregistrer une présentation dans un mauvais dossier et de passer des heures à la retrouver.

III. Des fonctions de mise en forme point tu n'abuseras

Oui, PowerPoint permet d'assigner à chaque mot une police particulière, d'utiliser 92 couleurs sur une seule diapositive, et de remplir le moindre pixel avec des cliparts. La surcharge est à éviter de toute urgence. Restez simple.

IV. Des matériels protégés par la loi point tu n'utiliseras

Les affaires Napster et MP3.com ont fait couler beaucoup d'encre à ce sujet. La musique est souvent régie par le droit sur le copyright, une notion encore assez vague en France, où l'on préfère parler de droits d'utilisation et de reproduction mécanique des œuvres. Tout cela pour vous dire que, si vous n'êtes pas l'auteur d'une musique, vous ne pouvez pas l'utiliser sans l'autorisation expresse de son créateur, de son éditeur ou de leurs ayants droit.

V. Les jeux de couleurs tu utiliseras ; les motifs et les mises en forme automatiques tu accepteras ; les modèles tu vénéreras

Toute la bande Microsoft a eu recours à des artistes pour définir des jeux de couleurs cohérents, organiser les éléments des diapositives, et créer de magnifiques arrière-plans pour les Modèles de conception. Faites-leur plaisir. Utilisez leur travail.

VI. Des animations point tu n'abuseras

La tentation des animations est grande. Il est vrai qu'elles donnent de la vie et du relief à la platitude générale de diapositives qui s'enchaînent les unes après les autres comme au bon vieux temps. Cependant, l'abus d'animations risque de perturber votre auditoire ou de l'émerveiller au point qu'il perde le fil de votre discours.

VII. Les gourous de l'informatique tu solliciteras

Soyez toujours en bons termes avec un ami ou des collègues qui s'y connaissent mieux que vous en informatique. Invitez-les à déjeuner, offrez-leur des cadeaux. Ce sont des êtres humains, après tout.

VIII. Tes fichiers quotidiennement tu sauvegarderas

Oui, chaque jour ! Toute perte intempestive de votre dur labeur est alors impossible. Sauvegarder votre travail sur un système de stockage indépendant (second disque dur, disquettes, CD-R, unités de sauvegarde sur bande) permettra de le restaurer en cas de problème.

IX. Avec Ctrl+Z le malin tu éloigneras

Foncez tête baissée est parfois dangereux. Vous ne connaissez pas ce bouton ? Cliquez dessus ! Allez, cliquez encore pour affirmer votre puissance ! Mais vous risquez d'endommager votre présentation. Si cela arrive, appuyez immédiatement sur Ctrl+Z pour remettre la présentation dans l'état qui était le sien avant votre intervention satanique.

X. Tu ne paniqueras point

Vous êtes le seul à connaître votre nervosité. Imaginez alors que votre auditoire est nu, cela vous décontractera. Évidemment, si vous faites une présentation dans un camp de nudistes, imaginez qu'ils sont habillés.

Chapitre 19

Dix conseils pour créer des diapositives lisibles

C e chapitre délivre de précieux conseils qui rendront vos diapositives plus faciles à lire.

Essayez de lire la diapositive depuis le fond de la pièce

La règle numéro un de la lisibilité des diapositives est que toutes les personnes réunies dans une pièce doivent pouvoir en lire le contenu. Pour vous en assurer, sortez le projecteur et diffusez vos diapositives. Placez-vous au fond de la pièce et voyez si leur lecture est impeccable. Si ce n'est pas le cas, procédez à quelques ajustements.

N'oubliez jamais que la vue varie d'un individu à l'autre. Si votre vision est parfaite, plissez un peu les yeux pour simuler la vue d'une personne moins chanceuse que vous.

Pas plus de cinq puces, s'il vous plaît !

C'est une règle d'or. Limitez à cinq le nombre d'éléments d'une liste à puces. N'hésitez pas à créer plusieurs diapositives pour une longue énumération.

Evitez le petit texte

Si vous ne pouvez pas lire le contenu d'une diapositive depuis le fond de la pièce, augmentez la taille de la police. La règle veut que la plus petite des polices ait une taille de 24 points. 12 points sont impeccables dans un document Word, mais bien trop petits pour PowerPoint.

Evitez le verbiage excessif qui augmente considérablement la longueur d'un texte qui devient redondant, répétitif et réitératif

Vous voyez ce que je veux dire ! Le titre de cette section aurait pu être "Soyez bref".

Utilisez un phrasé consistant

Le manque de consistance grammaticale est un signe d'amateurisme. Considérez ceci :

- Les profits seront augmentés.
- Développement des marchés.
- Il y aura réduction de la concurrence.
- La production augmentera.

Chaque phrase utilise une construction grammaticale différente. Voici comment dire la même chose de manière consistante :

- Augmentation des bénéfices.

- ✔ Expansion des marchés.
- ✔ Réduction de la concurrence.
- ✔ Augmentation de la production.

Evitez les couleurs criardes

Des professionnels ont mis au point des jeux de couleurs livrés avec PowerPoint pour faciliter la création et la lecture des diapositives. Si vous décidez de créer votre propre jeu de couleurs, optez pour des teintes faciles à regarder.

Evitez les ruptures de ligne

Parfois, PowerPoint coupera une ligne à un moment inopportun. Aussi, faites en sorte que le contenu de chaque puce d'une liste ne dépasse pas une ligne. Si cela arrive, choisissez vous-même l'endroit de la rupture de ligne. Appuyez sur Maj+Entrée pour créer la seconde ligne et faciliter ainsi la lecture.

Vous pouvez faire glisser la marge de droite de l'espace réservé pour en augmenter la largeur et y faire tenir toute la ligne.

Les adresses Web (URL) tiennent difficilement sur une seule ligne. Lorsque vous en saisissez, faites en sorte qu'elles ne créent pas une seconde ligne qui rend toujours les diapositives inesthétiques.

Gardez l'arrière-plan aussi simple que possible

Ne jetez pas des cliparts sur l'arrière-plan au petit bonheur la chance. Tout ce qui n'est pas impératif doit disparaître.

Utilisez deux niveaux de puces

Il est toujours tentant de développer un point en sous-points, eux-mêmes déclinés en sous-points et sous-points d'autres sous-points. Au bout du compte, le lecteur ne sait même plus quel était le premier point de la liste. Pour éviter toute confusion, ne créez jamais des listes à puces affichant plus de deux niveaux.

Gardez la simplicité des graphiques et des diagrammes

PowerPoint peut créer des graphiques élaborés qui ravissent les statisticiens en tous genres. Pourtant, plus un graphique est simple, plus il est efficace. Par exemple, un graphique à secteurs ne doit pas comporter plus de quatre portions. Un graphique à colonnes se limitera à trois ou quatre colonnes. Pour plus d'informations sur les représentations graphiques, consultez le Chapitre 15.

La seule règle à mémoriser pour créer une présentation est : *rester simple, clair et concis.*

Chapitre 20

Dix manières
de ne pas endormir
un auditoire

• •

*I*l n'y a rien de pire pour un commentateur que d'agir sur son auditoire comme un somnifère. Voici quelques petits conseils qui devraient éviter pareille mésaventure.

Ne perdez jamais de vue votre objectif

Trop de présentations n'ont pas un déroulement logique, entraînant le public vers un objectif avoué. Or, le succès d'une présentation est de ne jamais entraîner les spectateurs sur une fausse piste.

Ne confondez pas le titre d'une présentation avec son objectif. Supposez que vous projetiez une présentation à un client potentiel pour lui monter les avantages de travailler avec votre nouvelle société. Le but de votre présentation est de montrer que votre matériel est plus performant que celui de la concurrence, et qu'il faut l'acheter. Soyez subtil en créant un titre du genre *Le matériel du 21e siècle*, tout en sachant que l'objectif poursuivi est "convaincre ce gars-là d'acheter mon produit".

Ne devenez pas esclave de vos diapositives

PowerPoint permet de créer de si belles diapositives que l'on est tenté de les laisser agir à notre place. C'est une grave erreur. *Vous* êtes au centre du spectacle ! Vous le dirigez, et asservissez les diapositives en ce sens.

Ne submergez pas votre auditoire avec des détails superflus

Il faut aller à l'essentiel, et faire en sorte que la diffusion ne dure pas trop longtemps. Pourquoi dire en une heure et quarante diapositives ce qui peut être exposé en vingt minutes et vingt diapositives ? Tout ce qui est superflu est à bannir. Sachez vous censurer ! C'est un exercice difficile mais indispensable.

Ne négligez pas l'ouverture

Ne perdez jamais l'occasion de faire immédiatement bonne impression. Ne faites pas des plaisanteries lourdes qui n'ont rien à voir avec le sujet abordé.

Les meilleures ouvertures sont celles qui capturent immédiatement l'attention de l'auditoire avec un certain sens de la provocation, une rhétorique affirmée ou une histoire inquiétante. Une plaisanterie est bienvenue si elle ne s'écarte pas du sujet de votre présentation et en sert le propos.

Soyez pertinent

L'objectif de toute présentation est d'amener votre auditoire à dire "Moi aussi !". Malheureusement, de nombreuses présentations laissent cette amère pensée : "Et alors ?"

La clé de la pertinence est de donner à votre auditoire ce qu'il attend, et non pas ce que vous pensez qui puisse l'intéresser. Des présentations efficaces proposent des solutions à des problèmes concrets plutôt que des opinions sur des problèmes hypothétiques.

N'oubliez pas les invitations

Vous venez de passer des heures à peaufiner une présentation. Il serait dommage que personne ne vienne la voir. Pensez à inviter des gens. Faites-leur une proposition qu'ils auront du mal à refuser. Flattez leur ego... l'homme est ainsi fait.

Entraînez-vous toujours et encore

Travaillez sans cesse sur votre ouvrage. Revisitez votre ouverture, votre discours, essayez ceci plutôt que cela, entraînez-vous à parler, à plaisanter intelligemment. Regardez-vous dans un miroir, enregistrez-vous sur un magnétophone ou une vidéo.

Ne paniquez pas

Pas d'inquiétude ! Respirez la bonne humeur et la décontraction ! Même le présentateur le plus chevronné connaît cet instant indéfinissable que l'on appelle le trac. Cela que vous parliez à une ou mille personnes.

Quel que soit votre degré de nervosité (sauf si vous en faites une syncope), les gens ne la présument pas. La règle numéro un est de ne jamais rien laisser transparaître. Vos genoux peuvent toujours jouer des castagnettes derrière le podium, il y a peu de chance pour que ce bruit vienne parasiter vos commentaires. En plus, personne ne le remarquera. Sachez que l'assurance est bien souvent une apparence.

Imaginez l'inimaginable

Envisagez toujours que les choses tournent mal, car elles vont mal tourner. Le projecteur ne fait pas la mise au point, le micro ne marche pas, vous faites tomber vos notes, etc. Ne devenez pas paranoïaque, mais préparez-vous à ce genre de problème.

Ayez deux jeux de notes dans votre poche. Apportez votre micro personnel. Disposez toujours d'un projecteur de secours.

Ne soyez pas ennuyeux

Un auditoire supporte beaucoup de choses, sauf l'ennui. Après tout, vous n'êtes pas là pour ça !

Cela ne veut pas dire que vous devez lâcher des plaisanteries douteuses à tout va ou parler à une vitesse excessive. Ne perdez jamais de vue votre objectif en vous noyant dans des détails superflus sans répondre aux attentes réelles de vos spectateurs. Finalement, soyez vous-même et prenez du plaisir. Si vous êtes radieux, vos spectateurs le seront aussi.

Chapitre 21

Dix choses
qui arrivent souvent

* *

*V*ous savez, PowerPoint c'est comme la vie, rien ne va
jamais comme sur des roulettes. Voici dix choses qui,
statistiquement, viennent perturber la quiétude des utilisateurs de PowerPoint.

Je ne trouve plus mon fichier !

La magnifique présentation est introuvable ! Vous êtes certain
de l'avoir sauvegardée, mais elle n'est nulle part. Eh bien, soit
vous l'avez enregistrée dans un autre dossier que celui où vous
avez l'habitude de stocker vos présentations, soit vous l'avez
enregistrée sous un autre nom. Quelle est la solution ? Utilisez
les fonctions de recherche accessibles via Fichier/Ouvrir. Dans
la boîte de dialogue Ouvrir, cliquez sur l'icône Historique. Vous
découvrirez une liste des fichiers les plus récemment utilisés,
stockés dans le dossier Recent.

Je n'ai plus assez d'espace disque !

Rien n'est plus frustrant que de créer une fantastique présentation et de se retrouver à cours d'espace disque pour la stocker.
Que faire ? Ouvrez le Poste de travail de Windows et cherchez
les fichiers dont vous n'avez plus besoin. Supprimez-en assez
en vue de libérer l'espace nécessaire à votre présentation.

Appuyez ensuite sur Alt+Tab pour revenir dans PowerPoint et enregistrer votre fichier.

Si votre disque est plein et que vous ne trouvez pas de fichiers à supprimer, cliquez sur l'icône de la Corbeille avec le bouton droit de la souris. Dans le menu contextuel, choisissez Vider la Corbeille. Cela libère souvent un espace important sur les disques durs. Si ça ne fonctionne pas, cliquez sur le menu Démarrer et choisissez Tous les programmes/Accessoires/Outils système/Nettoyage de disque. L'utilitaire de nettoyage analyse votre disque dur pour y trouver des fichiers obsolètes, et propose de les supprimer. Vous gagnez souvent quelques mégaoctets.

Si vous vous trouvez régulièrement à cours d'espace disque, envisagez l'achat d'un nouveau disque dur. Pour moins de 150 euros, vous disposez d'un nombre de gigaoctets impressionnant.

Je n'ai pas assez de mémoire

Aujourd'hui, le minimum vital est de 128 Mo. On peut même dire que, sous Windows XP, 256 Mo ne sont pas du superflu. Si vous en avez moins, envisagez l'achat de quelques barrettes de mémoire. Au moment où j'écris ces lignes, la barrette affiche un cours très bas. Mais ce marché est fluctuant. Quoi qu'il en soit, et même si vous devez attendre, n'achetez pas plus de 50 euros une barrette de 128 Mo de mémoire RAM. Alors ? Toujours envie d'être en insuffisance de mémoire ?

PowerPoint a disparu !

Il n'est pas bien loin, rassurez-vous. Vous avez certainement cliqué sur un bouton de la souris ou sur une autre application qui a pris le pas sur PowerPoint. Appuyez sur Alt+Tab ou Alt+Echap pour récupérer votre bien.

PowerPoint peut également s'évaporer si vous utilisez un économiseur d'écran. Bougez la souris ou appuyez sur une touche pour le faire réapparaître.

J'ai supprimé accidentellement un fichier !

Apprenez à supprimer un fichier et, croyez-moi : vous ne le ferez plus accidentellement. Rassurez-vous, cela arrive aux meilleurs d'entre nous. Vous pouvez le récupérer si vous agissez rapidement. Double-cliquez sur l'icône de la Corbeille. Avec le bouton droit de la souris, cliquez sur l'élément que vous venez de supprimer. Dans le menu contextuel, choisissez Restaurer. Le fichier reprend sa position d'origine.

Il ne me laisse pas modifier ça !

PowerPoint vous empêche de modifier un élément ? Que peut-il se passer ? L'élément fait certainement partie d'un Masque des diapositives. Pour le modifier, utilisez Affichage/Masque/Masque des diapositives. Vous accédez au Masque des diapositives où vous pouvez modifier les éléments.

Il manque quelque chose !

Vous venez de lire le chapitre consacré aux diagrammes, mais rien ne se passe quand vous désirez en insérer un. Pire ! PowerPoint se bloque quand vous choisissez Insertion/Diagramme !

Il est possible que votre installation PowerPoint soit corrompue. Un important fichier système a peut-être été supprimé ou un problème est apparu dans la base de registre de Windows.

Ne vous inquiétez pas ! PowerPoint dispose d'une fonction appelée Détecter et réparer qui peut corriger de semblables problèmes. Ouvrez PowerPoint, et choisissez Aide/Détecter et réparer, puis suivez les instructions qui apparaissent à l'écran.

Qu'est-il advenu de mon clipart ?

Vous venez d'acheter et d'installer une collection de cliparts que vous ne trouvez pas dans la Bibliothèque multimédia

Microsoft. Où sont-ils passés ? Nulle part. Vous devez simplement demander à la Bibliothèque de les répertorier. Ouvrez la Bibliothèque multimédia Microsoft en cliquant sur le bouton Insérer une image clipart de barre d'outils Dessin. Cliquez ensuite sur le bouton Rechercher et saisissez, dans le champ Rechercher le texte, le nom du fichier des images que vous désirez ajouter. Définissez ensuite les options d'importation et cliquez sur Rechercher.

Une des barres d'outils a disparu !

Une des fonctions les plus utiles de PowerPoint est la personnalisation de ses menus et de ses barres d'outils. Malheureusement, cette fonction a un inconvénient : il est très facile d'oublier un menu ou une barre d'outils. Et un jour, en voulant cliquer sur le bouton Gras (G), il n'est plus là. C'est même toute la barre d'outils Mise en forme qui a disparu.

Que s'est-il passé ? La fonction de gestion de l'utilisation des outils a sans doute remarqué que vous n'utilisiez pas beaucoup ce bouton, et l'a purement et simplement supprimé. Pour le retrouver, cliquez sur les doubles flèches des barres d'outils afin d'accéder aux boutons les moins utilisés. Sélectionnez alors celui qui fait défaut.

Lorsqu'une barre d'outils n'est plus du tout disponible, choisissez Affichage/Barres d'outils. Activez celle qui vous manque.

 Vous pouvez organiser les barres d'outils sur l'interface de PowerPoint. Généralement, les barres d'outils Standard et Mise en forme n'affichent pas tous leurs boutons, car elles se trouvent sur la même ligne. Dans ce cas, choisissez Outils/ Personnaliser/Options. Dans la boîte de dialogue Personnalisation, cochez la case Afficher les barres d'outils Standard et Mise en forme sur deux lignes.

Le projecteur ne fonctionne pas !

Bien des raisons conduisent au dysfonctionnement d'un projecteur LCD. En supposant que l'ordinateur et le projecteur sont connectés et allumés, et que vous utilisez le bon câble vidéo pour connecter votre ordinateur au projecteur, voici deux problèmes généralement rencontrés :

✔ La plupart des projecteurs ont deux entrées vidéo. Le projecteur doit être configuré pour utiliser l'entrée correspondant à celle où est connecté votre ordinateur. Un bouton du projecteur et/ou de sa télécommande permet de sélectionner l'entrée correcte. Un menu apparaît où vous pouvez choisir l'entrée adéquate.

✔ Si vous utilisez un portable, vérifiez l'activation du port vidéo externe. Nombre d'ordinateurs portables ont une touche de fonction du clavier pour cela. Cherchez cette touche avec l'icône qui représente un moniteur vidéo. Vous devrez certainement appuyer simultanément sur la touche FN du clavier et sur celle du moniteur.

Chapitre 22

Dix choses que l'on ne trouve pas ailleurs

· ·

Dans ce chapitre :

▶ Créer des diapositives 35mm.

▶ Travailler avec plusieurs présentations en même temps.

▶ Prendre des diapositives dans une autre présentation.

▶ Vérifier les propriétés du document.

▶ Utiliser des mots de passe.

▶ Organiser vos fichiers.

▶ Sauvegarder vos fichiers.

▶ Personnaliser PowerPoint.

▶ Définir des options.

▶ Créer et utiliser des macros élémentaires.

· ·

*J'*aime que chaque chose soit à sa place et que chaque place ait sa chose. Mais voilà, certaines informations n'ont pu trouver un endroit douillet pour satisfaire votre lecture paisible. J'ai donc décidé de

Les raccourcis clavier indispensables

Connaître certains raccourcis clavier vous permet d'exécuter des tâches plus rapidement. Voici une liste de raccourcis que

nous jugeons indispensables pour tirer profit de
PowerPoint 2003 :

✔ **Travailler avec plusieurs fenêtres**

- **Ctrl+F6 :** Permet de passer d'une présentation à une autre.

- **Maj+Ctrl+F6 :** Fait revenir à la présentation précédemment affichée.

- **Ctrl+F10 :** Agrandit la fenêtre de la présentation.

- **Ctrl+F5 :** Redonne à la fenêtre sa taille normale.

- **Ctrl+F4 :** Ferme la fenêtre de la présentation active.

✔ **Edition**

- **Ctrl+X :** Coupe l'objet sélectionné et le place dans le Presse-papiers.

- **Ctrl+C :** Copie l'objet sélectionné et le place dans le Presse-papiers.

- **Ctrl+V :** Colle le contenu du Presse-papiers.

- **Ctrl+Z :** Annule la dernière tâche exécutée.

- **Maj (en phase de dessin) :** Contraint les proportions de l'objet dessiné. Ainsi, une ellipse devient un cercle et un rectangle un carré.

✔ **Mise en forme**

- **Ctrl+G :** Gras.

- **Ctrl+I :** Italique.

- **Ctrl+U :** Souligné.

- **Ctrl+barre d'espace :** Normal.

✔ **Basculer vers d'autres programmes :**

- **Alt+Echap :** Bascule vers le programme suivant.

- **Alt+Tab :** Affiche les programmes actuellement ouverts, et permet de sélectionner celui à activer pour y travailler immédiatement.

- **Ctrl+Echap :** Ouvre/Ferme le menu Démarrer.

Un raccourci dont il faut abuser : Ctrl+S pour enregistrer régulièrement la présentation en cours de conception ou de modification.

Créer des diapositives 35mm

Si vous préférez mettre vos diapositives sur des films 35mm plutôt que de les projeter depuis votre ordinateur, vous devez prendre contact avec un laboratoire photo.

Mais passer d'une présentation PowerPoint à un équivalent diapositive sur support Celluloïd n'est pas à la portée de tous les laboratoires. Je vous conseille de téléphoner avant de créer un diaporama en ce sens. N'oubliez pas de demander combien il vous en coûtera, car ce genre de transfert n'est pas donné.

Demandez s'il faut ou non incorporer les polices TrueType, et sous quel format il est souhaitable que vous enregistriez le diaporama.

Utilisez Fichier/Enregistrer sous pour sauvegarder la présentation sur disque. Faites deux copies de votre travail sur des disques différents. Il n'y a rien de plus énervant que d'arriver au laboratoire situé à l'autre bout de la ville pour constater que votre disque a des problèmes. Vous pouvez également joindre votre fichier à un courrier électronique adressé au labo photo, ou encore graver un CD-R sur lequel vous stockerez la présentation.

Si vous ne trouvez pas de laboratoire à côté de chez vous, prospectez sur Internet. De nombreux sites permettent de télécharger vos présentations qui seront traitées et retournées par courrier sous forme de diapositives traditionnelles.

Pour trouver de pareils services en ligne, saisissez "diapositives de présentation" dans un moteur de recherche comme Yahoo ou Google.

Modifier plusieurs présentations en même temps

Beaucoup de personnes préfèrent exécuter une seule tâche à la fois. Elles ont peur de mélanger leurs idées et de confondre les outils.

D'autres utilisateurs sont capables d'accomplir douze choses différentes dans la même seconde. Planter des rosiers, écrire un document Word, se curer les dents, boire un café...

Ici, contentez-vous de travailler dans plusieurs présentations en même temps. Ouvrez vos fichiers successifs via Fichier/ Ouvrir. PowerPoint place chaque fichier dans sa propre présentation. Généralement, la fenêtre de la présentation envahit tout votre écran, les autres étant réduites sur la Barre des tâches. Vous pouvez alors basculer d'une présentation à une autre en appuyant sur Alt+Tab.

PowerPoint offre trois méthodes d'affichage de la fenêtre de chaque fichier ouvert :

✔ **Cascade :** Les fenêtres des présentations sont empilées les unes sur les autres, mais elles laissent apparaître la barre de titre de chacune d'elles. Pour afficher une fenêtre, il suffit de cliquer sur sa barre de titre. Afin que toutes les fenêtres de présentation s'affichent sous cette forme, choisissez Fenêtre/Cascade.

✔ **Mosaïque :** Les fenêtres de la présentation sont organi-sées les unes à côté des autres. Elles se touchent par leurs bords. Cette organisation permet de voir une petite partie de chaque présentation. Plus vous ouvrez de fichiers, plus la partie affichée est réduite. Pour obtenir un semblable affichage, choisissez Fenêtre/Réorganiser tout.

✔ **Réduction :** La fenêtre devient une minuscule barre de titre placée en bas de la fenêtre principale de PowerPoint. On ne parvient même pas à lire la totalité de son nom. Pour réduire la fenêtre d'une présentation, cliquez sur le bouton Réduire de sa barre de titre. Pour la restaurer, double-cliquez sur cette même barre de titre.

Bien que de multiples présentations soient ouvertes simultanément, vous ne pouvez travailler que dans une seule à la fois.
Les autres attendent votre bon vouloir.

Pour copier un objet d'un fichier à un autre, affichez la fenêtre
du premier fichier, copiez l'objet dans le Presse-papiers,
basculez vers la seconde fenêtre du fichier et collez l'objet.

Voici quelques conseils pour travailler sereinement avec
plusieurs fenêtres :

🖙 Vous pouvez ouvrir plusieurs fichiers en utilisant une
   seule fois Fichier/Ouvrir. Lorsque la boîte de dialogue
   Ouvrir apparaît, maintenez la touche Ctrl enfoncée et
   cliquez sur tous les fichiers à ouvrir. Cliquez sur Ouvrir
   pour les afficher dans une même fenêtre PowerPoint.

🖙 Alt+Tab permet d'effectuer un cycle dans toutes les
   fenêtres ouvertes sur votre bureau. Pour contraindre
   PowerPoint à ne s'occuper que des fenêtres des présentations, utilisez Ctrl+F6 au lieu de Alt+Tab.

🖙 Pour fermer une fenêtre, choisissez Fichier/Fermer ou
   cliquez sur le bouton de fermeture (x) de la barre de titre
   de la présentation à fermer. PowerPoint vous demande
   alors si vous désirez enregistrer les dernières modifications qui ne l'ont pas été. Vous pouvez également appuyer sur Ctrl+W.

Prendre des diapositives dans d'autres présentations

Comment faire pour copier une diapositive qui se trouve dans
une autre présentation et qui pourtant ferait très bien dans
celle où vous travaillez ? Prenez-la ! Voici comment procéder :

1. **Affichez la diapositive sur laquelle vous désirez incorporer la diapositive prélevée ailleurs.**

2. **Choisissez Insertion/Diapositives à partir d'un fichier.**

   Cette étape affiche la boîte de dialogue Recherche de
   diapositive.

3. **Cliquez sur le bouton Parcourir.**

4. **Parcourez vos dossiers jusqu'à ce que vous trouviez la présentation contenant la diapositive qui vous intéresse. Sélectionnez le fichier et cliquez sur Ouvrir.**

   Vous voici de retour dans la boîte de dialogue Recherche de diapositive.

5. **Sélectionnez les diapositives à copier.**

   Dans la liste Sélectionnez les diapositives, cliquez sur celle que vous désirez ajouter à la présentation en cours.

   Si vous cliquez sur une diapositive par erreur, cliquez de nouveau dessus pour la désélectionner.

6. **Cliquez sur Insérer pour copier les diapositives sélectionnées.**

   Les diapositives sont insérées dans le document, mais la boîte de dialogue Recherche de diapositive reste ouverte.

7. **Répétez les étapes 3 à 6 pour copier des diapositives d'autres présentations.**

8. **Cliquez sur Fermer pour faire disparaître la boîte de dialogue Recherche de diapositive.**

   Vous avez terminé.

Voici quelques considérations sur la copie de diapositives issues d'autres présentations :

✔ Lorsque les diapositives sont copiées dans la présentation, elles héritent des mises en forme du Masque des diapositives de cette nouvelle présentation. Les graphiques et les diagrammes incorporés sont actualisés afin de refléter le nouveau jeu de couleurs.

✔ Pour insérer toutes les diapositives d'une présentation, cliquez sur Tout insérer.

✔ Si vous retournez souvent dans la même présentation pour y prendre des diapositives, ajoutez-la aux favoris de la boîte de dialogue Recherche de diapositive. Pour cela, cliquez sur le bouton Parcourir et ouvrez la présentation.

Cliquez ensuite sur Ajouter aux favoris. Il suffit alors de cliquer sur l'onglet Liste des favoris pour afficher votre liste des présentations favorites.

🖝 Attention ! Vous ne pouvez pas utiliser des diapositives d'une présentation qui ne vous appartient pas.

Explorer les propriétés du document

PowerPoint stocke un résumé d'informations appelé sous Windows *propriétés du document*. Ces propriétés incluent le répertoire et le nom de fichier, le modèle assigné au fichier et des informations que vous pouvez saisir : le titre de la présentation, le sujet, l'auteur, les mots-clés et des commentaires.

Si vous utilisez beaucoup PowerPoint et rencontrez des problèmes pour vous souvenir du contenu de chaque fichier, les informations du résumé constitueront une aide capitale.

Pour afficher et définir les propriétés du document, suivez ces étapes :

1. **Ouvrez le fichier si ce n'est déjà fait.**

2. **Choisissez Fichier/Propriétés.**

   La boîte de dialogue Propriétés apparaît.

3. **Saisissez les informations de résumé que vous jugez utile de stocker avec le fichier.**

4. **Lorsque vous avez fini, cliquez sur OK.**

5. **Enregistrez le fichier avec Ctrl+S ou Fichier/Enregistrer.**

Quand vous remplissez le Résumé, réfléchissez sur les mots-clés qui vous serviront à retrouver le fichier en cas de besoin. Utilisez des mots-clés significatifs, faciles à rechercher.

Ouvrez les autres onglets de la boîte de dialogue Propriétés. Vous y trouverez de nombreuses informations intéressantes sur votre présentation.

Pour inclure des résumés dans chaque fichier PowerPoint, choisissez Outils/Options et cochez la case Demander les propriétés du fichier de l'onglet Enregistrement. Cela ouvre la boîte de dialogue Propriétés chaque fois que vous enregistrez un nouveau fichier. Saisissez alors les informations nécessaires.

Utiliser des mots de passe pour protéger vos présentations

Si vous craignez que des personnes malintentionnées pénètrent dans vos présentations, protégez-les par un mot de passe. Deux types sont à votre disposition : pour la lecture et pour la modification.

Pour protéger une présentation par mot de passe :

1. **Trouvez un bon mot de passe.**

   Les mauvais mots de passe sont toujours les mêmes : le nom, le numéro de téléphone ou l'incontournable "Mot de passe". Le meilleur sera toujours une combinaison aléatoire de lettres et de chiffres comme 58dK33pJK2.

2. **Ouvrez la présentation à protéger.**

3. **Choisissez Outils/Options et cliquez sur l'onglet Sécurité.**

4. **Dans le champ Mot de passe pour la lecture, saisissez le mot de passe nécessaire à l'ouverture de la présentation.**

   Au fur et à mesure que vous saisissez le mot de passe, des astérisques apparaissent à l'écran. Ainsi, même ceux qui travaillent à côté de vous ne peuvent le déchiffrer.

5. **Dans le champ Mot de passe pour la modification, saisissez celui qu'il faut saisir au moment de l'enregistrement de la présentation.**

   Encore une fois, le mot de passe n'est pas affiché à l'écran quand vous le saisissez.

6. **Cliquez sur OK.**

7. **Quand une boîte de dialogue apparaît, vous demandant de confirmer un mot de passe, ressaisissez-le et cliquez sur OK.**

   Cela permet de vérifier qu'il n'y a pas d'erreur de mot de passe, puisque vous ne voyez pas les mots de passe que vous saisissez.

8. **Inscrivez dans un endroit secret ledit mot de passe pour ne jamais l'oublier.**

   Gardez votre mot de passe dans un lieu sûr, inaccessible au commun des mortels. Ne l'inscrivez surtout pas sur un Post-it collé sur votre moniteur.

Chaque fois que vous tentez d'ouvrir ou d'enregistrer une présentation protégée par mot de passe, une boîte de dialogue en demande la saisie. Sans mot de passe, PowerPoint refuse d'obtempérer.

Protéger vos droits

PowerPoint 2003 propose une nouvelle fonction appelée Autorisation. Elle restreint l'accès à une présentation d'une manière bien plus radicale que l'utilisation d'un mot de passe. Par exemple, vous spécifiez que tel utilisateur peut afficher la présentation mais pas la modifier. Cette fonction de PowerPoint marche en étroite collaboration avec un service Web Microsoft. En d'autres termes, vous devez bénéficier d'un compte Passport pour accéder à une présentation protégée.

Pour utiliser cette protection, cliquez sur Fichier/Autorisation. Une boîte de dialogue vous demande de télécharger le logiciel Windows Rights Managment sur le site Web de Microsoft. Exécutez-vous. Le programme pèse environ 360 Ko, ce qui ne prendra que quelques minutes.

Organiser vos fichiers

Mon premier ordinateur avait deux lecteurs de disquettes stockant chacun 360 Ko de données. Un an plus tard, j'ai investi dans un disque dur gigantesque de 10 Mo (oui, je sais, aujourd'hui ça fait rigoler). Comment ai-je pu stocker des centaines de fichiers sur disquettes ? Je me le demande encore. Aujourd'hui, je dispose d'un disque dur dépassant les 120 Go, avec plus de 50 000 fichiers stockés. Miraculeux !

Le contrôle des fichiers d'un disque dur passe par une organisation précise qui réclame d'employer des noms de fichiers faciles à retenir et d'utiliser judicieusement des dossiers.

Utiliser des noms de fichiers inoubliables

Windows est aujourd'hui capable de gérer des noms de fichiers gigantesques. Rien ne vous empêche de nommer une présentation Exposition informatique 2003 de Paris.ppt.

Mon premier conseil est : employez des noms longs puisque c'est possible.

Voici quelques petites choses à considérer quand vous définissez des noms de fichiers :

 ✔ Si votre présentation inclut des notes, ajoutez le nom du fichier en bas de la page du Masque des pages de commentaires. De cette manière, le nom du fichier sera imprimé sur chacune de ces pages de notes, ce qui permettra de le retrouver plus facilement.

 ✔ Ne dérogez pas à une méthode de dénomination des fichiers. Si Expo Araignées 2003.ppt est le fichier sur l'expo de ces charmants insectes en l'an 2003, utilisez le nom Expo Araignées 2004.ppt pour celle de l'année suivante.

 ✔ Si vous envisagez de stocker un fichier sur Internet, n'utilisez pas d'espaces ou d'autres symboles spéciaux dans son nom.

Utiliser judicieusement des dossiers

La plus grosse erreur de gestion commise par les débutants est de tout stocker dans le dossier Mes Documents.

L'utilisation des dossiers impose de la méthode pour une parfaite organisation de vos fichiers. Ne placez pas tous vos fichiers dans un seul dossier. Créez un dossier séparé pour chaque projet, et placez-y tous les fichiers le concernant. Admettons que vous deviez créer une présentation analysant l'évolution mensuelle d'un marché. Vous pouvez créer un dossier nommé Analyse du marché pour stocker tous les fichiers de présentation en rapport avec ce sujet. Ensuite, le nom de chaque fichier PowerPoint reprendra le mois et l'année : Janvier 2003.ppt, Février 2003.ppt, et ainsi de suite.

Voici quelques conseils :

- ✔ Chaque disque a un *répertoire racine*, c'est-à-dire un dossier dans lequel il ne faut pas stocker de fichiers. Je vous recommande donc de ne jamais utiliser le répertoire C:\ pour stocker des fichiers.

- ✔ Il n'y a aucune raison de stocker dans le même dossier des fichiers qui appartiennent à différentes applications. Chaque extension de fichier identifie le programme qui l'a créé.

- ✔ Le dossier Mes Documents est un dossier où Windows espère y trouver tous vos documents. Vous pouvez créer des dossiers pour sérialiser vos fichiers. Ces dossiers peuvent parfaitement prendre place dans le répertoire Mes Documents.

- ✔ Vous pouvez créer des raccourcis vers vos dossiers. Pour cela, cliquez sur le bureau avec le bouton droit de la souris. Dans le menu contextuel, choisissez Nouveau/Raccourci. Suivez alors les instructions de la boîte de dialogue Créer un raccourci.

- ✔ N'oubliez pas de nettoyer périodiquement vos dossiers en supprimant des fichiers dont vous n'avez plus besoin. Faites de même avec la Corbeille.

Il n'y a pas de limite au nombre de fichiers que vous pouvez stocker dans un dossier, ni à celui des dossiers qui peuvent prendre place sur votre disque dur.

Personnalisation de PowerPoint

Dans le menu Outils de PowerPoint, se trouve la commande Personnaliser. Elle permet d'adapter les menus et les barres d'outils à vos besoins spécifiques. Par exemple, si vous utilisez régulièrement des formes automatiques comme le Sourire et l'Eclair, ajoutez ces boutons à la barre d'outils Dessin. Il ne sera plus nécessaire d'ouvrir le menu Formes automatiques pour les utiliser. Ou bien, vous pouvez créer de nouvelles commandes Insertion/Sourire ou Insertion/Eclair.

Pour personnaliser une barre d'outils ou un menu, choisissez Outils/Personnaliser. La boîte de dialogue Personnalisation apparaît. Depuis son onglet Commandes, vous pouvez ajouter de nouveaux boutons ou des commandes aux barres d'outils ou aux menus.

L'onglet Commandes liste toutes le commandes de PowerPoint en les répertoriant par catégorie comme Fichier, Edition, Affichage, etc. Notez que ces catégories correspondent aux menus et aux barres d'outils de PowerPoint. Quand vous sélectionnez une catégorie dans la liste Catégories de la boîte de dialogue Personnalisation, les commandes correspondantes s'affichent dans la liste Commandes de cette même boîte de dialogue.

Pour créer un nouveau bouton sur une barre d'outils, commencez par sélectionner la catégorie dans la liste Catégories. Parcourez ensuite la liste Commandes pour y trouver celle à ajouter. Par exemple, pour ajouter un bouton Sourire, commencez par sélectionner Formes automatiques dans la liste Catégories, puis localisez Sourire dans la liste Commandes. Dès que vous avez trouvé la bonne commande, faites-la glisser de la boîte de dialogue Personnalisation à l'emplacement de la barre d'outils où vous souhaitez insérer le bouton.

L'ajout d'une nouvelle commande à un menu répond à une technique similaire. Commencez par sélectionner la catégorie, puis localisez la commande et faites-la glisser jusqu'au menu où vous souhaitez l'insérer. Par exemple, faites glisser la commande Sourire jusqu'au menu Insertion.

Pour supprimer un bouton d'une barre d'outils ou une commande d'un menu, choisissez Outils/Personnaliser. Faites alors glisser le bouton ou la commande à supprimer en dehors de la barre d'outils ou du menu. Quand vous relâchez le bouton de la souris, l'élément a disparu.

Une fois la personnalisation terminée, cliquez sur Fermer.

Paramétrage des options de PowerPoint

Comme tout bon programme Microsoft qui se respecte, PowerPoint a des millions d'options qui affectent son fonctionnement. Vous les découvrirez via Outils/Options.

Une fois la boîte de dialogue Options ouverte, cliquez sur l'onglet qui contient les options à définir, puis choisissez celles à utiliser. Dès que tout vous semble correct, cliquez sur OK.

La boîte de dialogue Options dispose de sept onglets. Les paragraphes suivants présentent les options disponibles dans chacun d'eux :

✔ **Affichage :** Options qui affectent l'apparence générale de PowerPoint comme l'affichage du volet Office à chaque démarrage, celui des menus contextuels, et celui qui indique si chaque diaporama se termine systématiquement par une diapositive noire.

✔ **Général :** Options qui affectent les opérations globales de PowerPoint comme le nombre de fichiers récemment ouverts à afficher en bas du menu Fichier, mais aussi votre nom et vos initiales.

✔ **Edition :** Options qui affectent le fonctionnement des fonctions d'édition de PowerPoint. Par exemple, vous pouvez désactiver les fonctions de couper et coller, ainsi que de nouvelles fonctions PowerPoint 2003 comme les effets d'animations avancés ou les masques multiples.

✔ **Imprimer :** Options d'impression comme la gestion des polices TrueType.

✔ **Enregistrement :** Options qui affectent la manière dont les fichiers sont enregistrés, y compris l'emplacement de stockage par défaut et la périodicité d'enregistrement des informations de récupération.

✔ **Sécurité :** Mots de passe et autres.

✔ **Orthographe et style :** Options qui contrôlent la vérification orthographique et le style.

Créer des macros

Les macros représentent une fonction avancée de PowerPoint permettant d'enregistrer une séquence de commandes et de la relire à n'importe quel moment par un simple clic de souris. Si vous travaillez sur une présentation et constatez que chaque nouvelle diapositive utilise la mise en page Titre et texte sur 2 colonnes, il serait bien qu'un bouton permette d'insérer cette mise en page sans ouvrir le volet Appliquer la mise en page des diapositives.

Les macros permettent d'y arriver ! Vous enregistrerez la commande nécessaire à l'insertion d'une nouvelle diapositive, ouvrez le volet Appliquer la mise en page des diapositives, assignez Titre et texte sur 2 colonnes, et fermez le volet. Ensuite, vous pouvez placer cette macro sur la barre d'outils sous forme de bouton. Quand vous désirerez insérer une nouvelle diapositive disposant de la mise en page Titre et texte sur 2 colonnes, cliquez sur le bouton.

Pour créer une macro, suivez ces quelques étapes :

1. **Ouvrez la présentation dans laquelle vous désirez enregistrer la macro.**

2. **Choisissez Outils/Macros/Nouvelle macro.**

   La boîte de dialogue Enregistrer une macro apparaît.

3. **Saisissez un nom identifiant la macro.**

   N'importe quoi d'autre que ce rudimentaire Macro1.

4. **Cliquez sur OK.**

   Une petite barre d'outils Arrêt enregistrement apparaît. Elle indique que la macro est en cours d'enregistrement.

5. **Faites ce que vous avez à faire.**

   Exécutez les commandes nécessaires à l'accomplissement de la tâche que vous désirez enregistrer comme macro. Par exemple, pour créer une macro qui insère des diapositives de type Titre et texte sur 2 colonnes, suivez la séquence ci-dessous :

   - Choisissez Insertion/Nouvelle diapositive.

   - Cliquez sur Titre et texte sur 2 colonnes du volet Appliquer la mise en page des diapositives.

   - Cliquez sur le bouton de fermeture (X) du volet.

6. **Cliquez sur le bouton Arrêter l'enregistrement de la barre d'outils Arrêt enregistrement.**

   La macro est terminée.

Pour exécuter la macro, choisissez Outils/Macros/Macros. Vous ouvrez une boîte de dialogue qui liste toutes les macros définies.

Pour tirer pleinement profit d'une macro, assignez-la à une barre d'outils ou à un menu. Ouvrez Outils/Personnaliser. Dans la liste Catégories de l'onglet Commandes, sélectionnez Macros. Dans la liste Commandes, faites glisser votre macro jusqu'à une barre d'outils ou un menu.

Index

D

Titre	ISBN	Code
3DS Max 5 Poche pour les Nuls	2-84427-516-8	65 3689 0
Access 2002 Poche pour les Nuls	2-84427-253-3	65 3297 2
Access 2003 Poche pour les Nuls	2-84427-583-4	65 3781 5
AutoCAD 2004 Poche pour les Nuls	2-84427-548-6	65 3764 1
C# Poche pour les Nuls	2-84427-350-5	65 3410 1
C++ Poche pour les Nuls	2-84427-312-2	65 3338 2
Créez des pages Web Poche pour les Nuls (3e éd.)	2-84427-538-9	65 3760 9
Créer un réseau sans fil Poche pour les Nuls	2-84427-533-8	65 3718 7
Créer un site Web Poche pour les Nuls	2-84427-450-1	65 3576 9
Dépanner et optimiser Windows Poche pour les Nuls	2-84427-519-2	65 3692 4
DivX Poche pour les Nuls	2-84427-462-5	65 3611 4
Dreamweaver MX Poche pour les Nuls	2-84427-393-9	65 3490 3
Easy CD & DVD Creator 6 Poche Pour les Nuls	2-84427-569-9	65 3774 0
Excel 2000 Poche pour les Nuls	2-84427-964-3	65 3229 5
Excel 2002 Poche Pour les Nuls	2-84427-255-X	65 3299 8
Excel 2003 Poche Pour les Nuls	2-84427-582-6	65 3780 7
Flash MX Poche pour les Nuls	2-84427-395-5	65 3492 9
Gravure des CD et DVD Poche pour les Nuls (3e éd.)	2-84427-547-8	65 3763 3
HTML 4 Poche pour les Nuls	2-84427-321-1	65 3363 2
iMac Poche pour les Nuls (3e éd.)	2-84427-320-3	65 3362 4
Internet Poche pour les Nuls (3e éd.)	2-84427-536-2	65 3721 1
Java 2 Poche pour les Nuls	2-84427-317-3	65 3359 0
JavaScript Poche pour les Nuls	2-84427-335-1	65 3385 5
Linux Poche pour les Nuls (2e éd.)	2-84427-464-1	65 3613 0
Mac Poche pour les Nuls (2e éd.)	2-84427-319-X	65 3361 6
Mac OS X Poche pour les Nuls	2-84427-264-9	65 3308 7
Mac OS X v.10.2 Poche pour les Nuls	2-84427-459-5	65 3608 0
Money 2003 Poche pour les Nuls	2-84427-458-7	65 3607 2
Nero 6 Poche pour les Nuls	2-84427-568-0	65 3773 2
Office 2003 Poche pour les Nuls	2-84427-584-2	65 3782 3
Office XP Poche pour les Nuls	2-84427-266-5	65 3310 3
Outlook 2003 Poche pour les Nuls	2-84427-594-X	65 4051 2
PC Poche pour les Nuls (3e éd.)	2-84427-537-0	65 3722 9
PC Mise à niveau et dépannage Poche pour les Nuls	2-84427-518-4	65 3691 6

Titre	ISBN	Code
Photographie numérique Poche pour les Nuls (la)	2-84427-351-3	65 3411 9
Photoshop 7 Poche pour les Nuls	2-84427-394-7	65 3491 1
Photoshop Elements 2 Poche pour les Nuls	2-84427-461-7	65 3610 6
PHP et mySQL Poche pour les Nuls	2-84427-397-1	65 3494 5
PowerPoint 3003 Poche pour les Nuls	2-84427-593-1	65 4050 4
TCP/IP Poche pour les Nuls	2-84427-367-X	65 3443 2
Registre Windows XP Poche pour les Nuls (le)	2-84427-517-6	65 3690 8
Réseaux Poche pour les Nuls	2-84427-265-7	65 3309 5
Retouche photo pour les Nuls	2-84427-451-X	65 3577 7
Sécurité Internet Poche pour les Nuls	2-84427-515-X	65 3688 2
SQL Poche pour les nuls	2-84427-376-9	65 3461 4
Unix Poche pour les Nuls	2-84427-318-1	65 3360 8
Utiliser un scanner Poche pour les Nuls	2-84427-463-3	65 3612 2
VBA Poche pour les Nuls	2-84427-378-5	65 3463 0
VBA pour Office Poche pour les Nuls	2-84427-592-3	65 3789 8
Vidéo numérique Poche pour les nuls (la)	2-84427-396-3	65 3493 7
Visual Basic .net Poche pour les Nuls	2-84427-336-X	65 3386 3
Visual Basic 6 Poche pour les Nuls	2-84427-256-8	65 3300 4
Windows 98 Poche pour les Nuls	2-84427-460-9	65 3609 8
Windows Me Poche pour les Nuls	2-84427-937-6	65 3199 0
Windows XP Poche pour les Nuls (3e éd.)	2-84427-597-4	65 4054 6
Windows XP Trucs et Astuces Poche Pour les Nuls	2-84427-585-0	65 3783 1
Word 2000 Poche pour les Nuls	2-84427-965-1	65 3230 3
Word 2002 Poche Pour les Nuls	2-84427-257-6	65 3301 2
Word 2003 Poche Pour les Nuls	2-84427-581-8	65 3779 9